a+t books

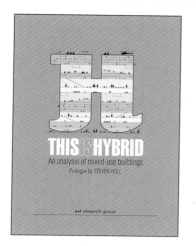

10 STORIES OF COLLECTIVE HOUSING
a+t research group
17 x 23,5 cm
English.
ISBN 978-84-616-4136-9
496 pp
39 €
Disponible también en Español.

THIS IS HYBRID
a+t research group
23,5 x 32 cm
English/Español
ISBN 978-84-616-6237-1
312 pp
49 €

WHY DENSITY?
a+t research group
17 x 23,5 cm
English/Español
ISBN 978-84-606-5751-4
256 pp
39 €

FORM&DATA
a+t research group
17 x 23,5 cm
English/Español
ISBN 978-84-608-1485-6
320 pp
39 €

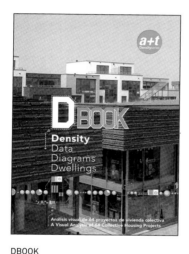

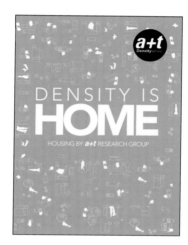

DBOOK
Aurora Fernández Per
Javier Mozas
Javier Arpa
23,5 x 32 cm
English/Español
ISBN 978-84-611-5900-0
440 pp
DIGITAL FILES

THE PUBLIC CHANCE
Aurora Fernández Per
Javier Arpa
23,5 x 32 cm
English/Español
ISBN 978-84-612-4488-1
420 pp
65 €

RASHOMON
Javier Mozas
14 x 20 cm
Español
ISBN 978-84-615-4944-3
224 pp
12 €

DENSITY IS HOME
a+t research group
17 x 23,5 cm
English/Español
ISBN 978-84-615-1237-9
400 pp
39.90 €

DENSITY CONDENSED
Javier Mozas,
Aurora Fernández Per
23,5 x 17 cm
English/Español
ISBN 84-611-1203-2
448 pp
Online version
19€

DENSITY PROJECTS
Aurora Fernández Per
Javier Arpa
23,5 x 17 cm
English/Español
ISBN 978-84-612-1335-1
400 pp
Online version
19€

HoCo
Aurora Fernández Per
Javier Mozas
Javier Arpa
23,5 x 17 cm
English/Español
ISBN 978-84-613-3080-5
464 pp
39 €

NEXT
Aurora Fernández Per
Javier Arpa
23,5 x 17 cm
English/español
ISBN 978-84-613-8676-5
336 pp
39 €

INDEPENDENT MAGAZINE OF ARCHITECTURE+TECHNOLOGY
ISSUE 48
FREE OF ADVERTISING

EDITORS
Aurora Fernández Per
Javier Mozas

GRAPHIC CONCEPT
Aurora Fernández Per

LAYOUT AND PRODUCTION
Delia Argote

MANAGING
Idoia Esteban

COMMUNICATION AND PRESS
Patricia García

EDITOR, ENGLISH-LANGUAGE VERSION
Ken Mortimer

EDITOR, SPANISH-LANGUAGE VERSION
Aurora Fernández Per
Javier Mozas

SUBMISSIONS, SUBSCRIPTIONS & ORDERS
a+t architecture publishers
Tel. +34 945 134276
submission@aplust.net
orders@aplust.net
www.aplust.net

PUBLISHER
a+t architecture publishers
ISSN 1132-6409
ISBN 978-84-697-3261-8
Frequency: Bianual

PRINTING
Gráficas Irudi s.l.
VI 683/1994
2017

DISTRIBUTION
(Europe, USA, Canada, Australia, Asia)
Idea Books
Nieue Herengracht 11. 1011RK Amsterdam. The Netherlands
Tel. +31 20 6226154
Fax +31 20 6209299
idea@ideabooks.nl
www.ideabooks.nl
(Spain, Portugal and Latin America)
a+t architecture publishers
Tel.+34 945 134276
orders@aplust.net
www.aplust.net

COVER
NLarchitects / BeL Sozietät für Architektur.
Development of the Urban plan for Spielbudenplatz.
St Pauli, Hamburg (Germany).

a+t architecture publishers General Álava, 15 2°A. 01005 Vitoria-Gasteiz. Spain. www.aplust.net

GENERATORS, LINKERS, MIXERS & STORYTELLERS
COMPLEX BUILDINGS

References

Contents

Towards a Neo-Cosmopolitan Architecture in the Age of V.U.C.A. *

DOMINIC LEONG

Our contemporary global experience is largely defined by the contradicting utopian and dystopian effects of technological progress. We are becoming acutely aware of the social-technological rate of change relative to our ability to adapt as a human species. The difference in rate of change between human evolution and technological progress, amplifies the effects of increasing levels of complexity.

In the 1990's the military began using the acronym V.U.C.A. (volatility, uncertainty, complexity, ambiguity) to describe the dynamics of contemporary warfare's exceedingly complex and dynamic nature.
The term V.U.C.A means that acceleration in degrees of complexity is the only constant. As a result, we exist in highly provisional states in which cause and effect are determined by incomprehensible and highly dynamic relationships.

Nuestra experiencia global contemporánea está definida en gran parte por los contradictorios efectos utópicos y distópicos del progreso tecnológico. Cada vez somos más conscientes de la diferencia entre el cambio socio-tecnológico y nuestra capacidad de adaptación como especie humana. Esta diferencia entre la velocidad de cambio de la evolución humana y la del progreso tecnológico, amplifica los efectos de los crecientes niveles de complejidad.

En la década de 1990 los militares comenzaron a usar el acrónimo V.U.C.A. (volatilidad, incertidumbre, complejidad, ambigüedad) para describir la naturaleza dinámica, sumamente compleja, de la guerra contemporánea. El término V.U.C.A. significa que la única constante es la aceleración en grados de complejidad. Como resultado, vivimos en estados altamente provisionales en los que la causa y el efecto están determinados por relaciones incomprensibles y altamente dinámicas.

*This text is related to *The Newer Age Studio*. Columbia University, GSAPP. Critics: Dominic Leong and Christopher Leong. Fall 2016.
Este texto está relacionado con *The Newer Age Studio*, impartido por Dominic Leong y Christopher Leong en la GSAPP, Universidad de Columbia. durante el Otoño de 2016.

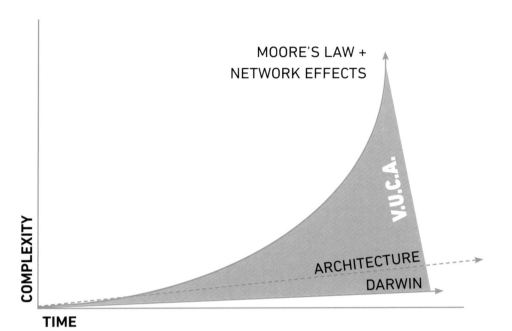

MOORE'S LAW +
NETWORK EFFECTS

COMPLEXITY

V.U.C.A.

ARCHITECTURE
DARWIN

TIME

The acronym V.U.C.A. stands for Volatility, Uncertainty, Complexity, and Ambiguity. Moore's law refers to the forecast expressed in 1965 by Gordon Moore, later co-founder of Intel, according to which, the number of transistors of an integrated circuit doubles to an annual rate, forecast that has been fulfilled during the last 50 years. El acrónimo V.U.C.A. significa Volatilidad, Incertidumbre, Complejidad y Ambigüedad. La ley de Moore se refiere la previsión expresada en 1965 por Gordon Moore, posteriormente cofundador de Intel, según la cual, el número de transistores de un procesador se duplica a un ritmo anual, previsión que se ha cumplido durante los últimos 50 años.

The possibility to effectively act and make decisions with limited time and information relies on the ability to learn from failure as quickly as possible as much as one's ability to predict possible outcomes.

Not surprisingly, V.U.C.A. has become a buzz word in entrepreneurial and political culture, as organizations try to cope with constant change while leveraging complexity through "disruptions" in the marketplace.

Simultaneously, the networks effects that have allowed for emergent forms of resilient organization have also produced the tribalization of our cultural and political sphere through the echo chamber of social media. Our need to belong has been satisfied by our incessant connectivity and the algorithms which continually re-direct us into a self-referential vortex.

La posibilidad de actuar con eficacia y tomar decisiones con tiempo e información limitados se basa en la capacidad de aprender del fracaso lo más rápidamente posible, tanto como en la habilidad para predecir los posibles resultados.

No es de extrañar que V.U.C.A. se haya convertido en una palabra de moda en la cultura empresarial y política, ya que las organizaciones tratan de hacer frente al cambio constante aumentando la complejidad a través de "alteraciones" en los mercados.

Al mismo tiempo, los efectos de las redes, que han tenido en cuenta formas emergentes de organización resiliente, también han producido una tribalización de nuestro ámbito cultural y político a través de la caja de resonancia de las redes sociales. Nuestra necesidad de pertenencia ha sido satisfecha por nuestra conectividad permanente y por los algoritmos, que continuamente nos redirigen a un torbellino auto-referencial.

COMPLEXITY AND PRODUCTION

"We put a product of given complexity into production; we work on refining the process, eliminating the defects. We gradually move the yield to higher and higher levels. Then we design a still more complex product utilizing all of the improvements, and put that into production. The complexity of our product grows exponentially with time."

"Ponemos un producto de una determinada complejidad en producción; trabajamos en depurar el proceso, eliminando los defectos. Gradualmente, aumentamos la productividad a niveles cada vez más altos. Después diseñamos un producto todavía más complejo utilizando todas las mejoras y lanzamos la producción. La complejidad de nuestro producto crece exponencialmente con el tiempo."

GORDON MOORE
Arnold Thackray et alt. *The Life of Gordon Moore, Silicon Valley's Quiet Revolutionary.* Basic Books. 2015. p. 380.

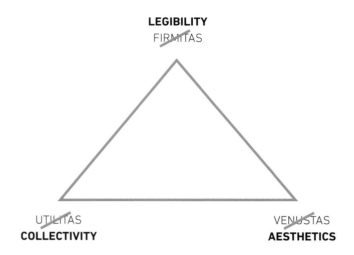

LEGIBILITY
FIRMITAS

UTILITAS
COLLECTIVITY

VENUSTAS
AESTHETICS

COMPLEXITY AND EVOLUTION

*"If it could be demonstrated that
any complex organ existed, which
could not possibly have been
formed by numerous, successive,
slight modifications, my theory
would absolutely break down.
But I can find no such case."*

*"Si se pudiese demostrar
que ha existido un órgano
complejo que pudo formarse sin
pequeñas, numerosas y sucesivas
modificaciones, mi teoría se
destruiría por completo; pero no
puedo encontrar ningún caso."*

CHARLES DARWIN
*On the Origin of Species by Means of Natural
Selection.* Edited by Joseph Carrol, 2003.
p. 213.
*El origen de las especies por medio de la
selección natural.* Editorial Los libros de la
Catarata, CSIC, UNAM, AMC, 2009. p. 183.

The parochializing and dystopian effects of our network culture were hard to foresee precisely because we may have oriented ourselves to a false utopian horizon.

As we try to overcome this nauseating reality, our cities and institutions continue to be critical spaces for exchange and self-reflection. The possibility of encountering other people, other values, and other needs is vital to our cities and therefore architecture. In the face of this political (possibly existential) crisis, which seems to turn us towards the past, we should dig deep into our expertise of social innovation to formulate new typologies of collectivity, new spaces of exchange, and new realities, to create neo-cosmopolitan architecture that responds to our ecological and political context.

By offering aesthetic modalities and organisational possibilities, architecture becomes a tool of self-actualization that nudges us towards new ways of relating to ourselves and each other. As we construct architecture, it in turn constructs us.

Los efectos provincianos y distópicos de nuestra cultura de la red eran difíciles de prever precisamente porque quizás nos hemos dirigido nosotros mismos hacia un horizonte utópico falso.

Mientras tratamos de superar esta realidad nauseabunda, nuestras ciudades e instituciones siguen siendo espacios críticos para el intercambio y la autoreflexión. La posibilidad de encontrarse con otras personas, otros valores y otras necesidades es vital para nuestras ciudades y por tanto para la arquitectura. A la vista de esta crisis política (posiblemente existencial), que parece devolvernos al pasado, debemos profundizar en nuestra capacidad de innovación social para formular nuevas tipologías de colectividad, nuevos espacios de intercambio, y nuevas realidades, para crear una arquitectura neocosmopolita que responda a nuestro contexto ecológico y político.

Al ofrecer modelos estéticos y posibilidades organizativas, la arquitectura se convierte en una herramienta de auto-actualización que nos empuja hacia nuevas formas de relación con nosotros mismos y con los otros. A medida que construimos la arquitectura, ella nos construye a nosotros.

EMBRACING COMPLEXITY

"But architecture is necessarily complex and contradictory in its very inclusion of the traditional Vitruvian elements of commodity, firmness, and delight. And today the wants of program, structure, mechanical equipment, and expression, even in single buildings in simple contexts, are diverse and conflicting in ways previously unimaginable. The increasing dimension and scale of architecture in urban and regional planning add to the difficulties. I welcome the problems and exploit the uncertainties. By embracing contradiction as well as complexity, I aim for vitality as well as validity".

" Pero la arquitectura es necesariamente compleja y contradictoria por el hecho de incluir los tradicionales elementos vitruvianos de comodidad, solidez y belleza. Y hoy las necesidades de programa, estructura, equipo mecánico y expresión, incluso en edificios aislados en contextos simples, son diferentes y conflictivas de una manera antes inimaginable. La dimensión y la escala creciente de la arquitectura en los planeamientos urbanos y regionales aumentan las dificultades. Doy la bienvenida a los problemas y exploto las incertidumbres. Al aceptar la contradicción y la complejidad, defiendo tanto la vitalidad como la validez"

ROBERT VENTURI
Complexity and Contradiction in Architecture.
The Museum of Modern Art Papers on Architecture. 1966. p. 16
Complejidad y contradicción en la arquitectura.
Editorial Gustavo Gili, 1978. p. 25

COLLECTIVITY AND ORGANIZATION
If the space of the city is no longer the primary medium of social organization, what role does architecture play in contributing and forming collective experiences?

AESTHETICS AND THE SOCIAL
One of architecture's greatest powers is to render aesthetic experiences that precede language, rhetoric, or even rationality. How do we redefine the relationship between architecture as an aesthetic practice and architecture as a social practice?

COMPLEXITY AND LEGIBILITY
If we exist in a continually accelerating culture of complexity, how does architecture embrace this complexity and also be an antidote to it's overwhelming nature? Does architecture's slowness offer an inherent form of resistance?

If architecture, as an aesthetic practice, can create sensible experiences that help us literally make sense of our exceedingly complex world, what should we be making legible? Is this one way in which architecture can leverage its disciplinary expertise to become more political?

COLECTIVIDAD Y ORGANIZACIÓN
Si el espacio de la ciudad ya no es el principal ámbito de organización social, ¿qué papel juega la arquitectura en la contribución y formación de las experiencias colectivas?

LA ESTÉTICA Y LO SOCIAL
Uno de los grandes poderes de la arquitectura es el de proporcionar experiencias estéticas que preceden al lenguaje, a la retórica, o incluso a la racionalidad. ¿Cómo podemos redefinir la relación entre la arquitectura como práctica estética y la arquitectura como práctica social?

COMPLEJIDAD Y LEGIBILIDAD
Si existimos en una cultura de la complejidad en continua aceleración, ¿cómo adopta la arquitectura esta complejidad y combate a la vez su naturaleza abrumadora? ¿Provoca la lentitud de la arquitectura una forma inherente de resistencia?

Si la arquitectura, como práctica estética, puede crear experiencias sensibles que nos ayuden literalmente a dar sentido a nuestro mundo extremadamente complejo, ¿qué deberíamos proponer? ¿Es esta una manera de que la arquitectura pueda aprovechar su bagaje disciplinar para ser más política?

GENERATORS

The complexity of anticipation

AURORA FERNÁNDEZ PER

If architecture was ever to show a burning ambition to embrace life, this was the case of the Fun Palace, and this in spite of its vocation to eschew being identified as architecture, at least not in any sense of permanence, solidity or monumentality. The Fun Palace was designed to be a gigantic mobile, with dynamic facilities for leisure and entertainment. Joan Littlewood, the creator of the brainchild which Cedric Price would subsequently transform into something that could actually be constructed, was an actress from London who envisaged theatre as a medium for social agit-prop and was a great admirer of the work of Bertolt Brecht. Her aim was to break down any division between public and actors and to convert theatre into a tool for social change. When she first met Cedric Price in 1963 she had already abandoned her career as a businesswoman and dramatist and she was driven by an impulse to create something to activate people's lives and enable them to go on living, "it was a launching pad for finding yourself"[1]. The Fun Palace is that container for activities which should be present in all cities, in all neighbourhoods. To a society in which the role of leisure was regarded as being of increasing importance, the inspiring idea of Joan Littlewood and Cedric Price –this space most people seek as they wander aimlessly around public spaces– could not have appealed more.

Si alguna vez la arquitectura tuvo una ambición extrema por acoger la vida, esa fue la del Fun Palace. Aunque, en realidad, nunca tuvo realmente la vocación de ser una arquitectura, al menos no en el sentido de permanencia, solidez o monumentalidad. Fun Palace debía ser un móvil gigante, con equipamientos dinámicos dedicados al ocio y al entretenimiento. Joan Littlewood, la creadora de la idea, que luego Cedric Price intentó convertir en algo capaz de ser construido, fue una actriz londinense que usaba el teatro como medio de agitación social, seguidora de Bertold Brecht, quería romper con la separación entre público y actor y hacer del teatro una herramienta de cambio social. Cuando conoció a Cedric Price en 1963, había abandonado su propia carrera como empresaria y autora teatral. Su impulso vital la llevó entonces a crear algo que activara la vida de la gente y les permitiera seguir viviendo, "una plataforma de lanzamiento para encontrarse a sí mismos"[1].

Fun Palace es aquel contenedor de actividades que debería estar presente en todas las ciudades, en todos los barrios. La inspiradora idea de Joan Littlewood y de Cedric Price, para una sociedad cada vez más ociosa, no pudo ser más atractiva. Es el espacio que desea encontrar la mayoría de la gente cuando deambula sin rumbo por el espacio público.

1. Cedric Price interviewed by Stanley Mathews in 1999. *From Agit-Prop to Free Space: The Architecture of Cedric Price*. Black Dog Publishing. 2007. p. 66

The generators
become complex
buildings which,
devoid of any
contingency, evolve
faster and are
able to anticipate
potential changes,
to reconfigure
themselves in order
to adapt.

Los generadores son
edificios complejos
que, despojados de
todo lo contingente,
evolucionan más
rápidamente y son
capaces de anticipar
posibles cambios, de
reconfigurarse para
adaptarse.

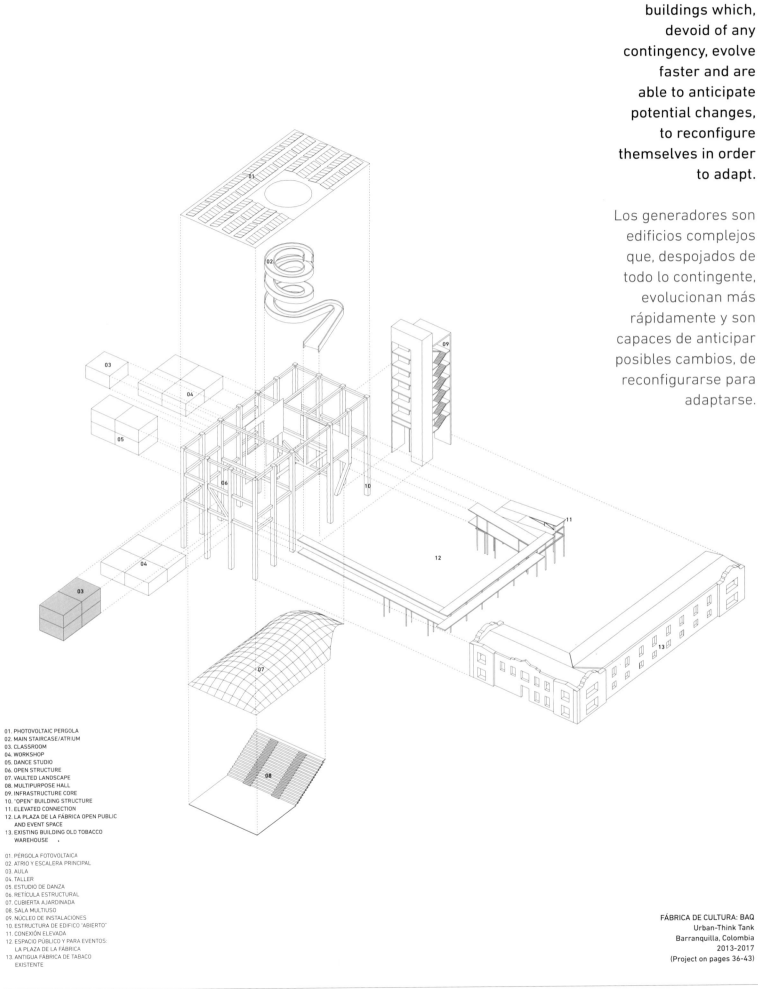

01. PHOTOVOLTAIC PERGOLA
02. MAIN STAIRCASE/ATRIUM
03. CLASSROOM
04. WORKSHOP
05. DANCE STUDIO
06. OPEN STRUCTURE
07. VAULTED LANDSCAPE
08. MULTIPURPOSE HALL
09. INFRASTRUCTURE CORE
10. "OPEN" BUILDING STRUCTURE
11. ELEVATED CONNECTION
12. LA PLAZA DE LA FÁBRICA OPEN PUBLIC
    AND EVENT SPACE
13. EXISTING BUILDING OLD TOBACCO
    WAREHOUSE

01. PÉRGOLA FOTOVOLTAICA
02. ATRIO Y ESCALERA PRINCIPAL
03. AULA
04. TALLER
05. ESTUDIO DE DANZA
06. RETÍCULA ESTRUCTURAL
07. CUBIERTA AJARDINADA
08. SALA MULTIUSO
09. NÚCLEO DE INSTALACIONES
10. ESTRUCTURA DE EDIFICO "ABIERTO"
11. CONEXIÓN ELEVADA
12. ESPACIO PÚBLICO Y PARA EVENTOS:
    LA PLAZA DE LA FÁBRICA
13. ANTIGUA FÁBRICA DE TABACO
    EXISTENTE

FÁBRICA DE CULTURA: BAQ
Urban-Think Tank
Barranquilla, Colombia
2013-2017
(Project on pages 36-43)

ANTICIPATORY ARCHITECTURE

"Anticipatory Architecture is essential to equate its use and delight with contemporary, social, economic and political items of the new. Thus, Anticipatory Architecture must only anticipate the nature and form of future human services that require architectural attention for them to function but also design future enclosures that through their siting, form, life span and uniqueness enable activities hitherto impossible and therefore socially undefined Community and certainty, solitude and doubt must be welcomed equally."

"La Arquitectura de la Anticipación es esencial para equiparar su uso y deleite con los nuevos asuntos contemporáneos, sociales, económicos y políticos. Por lo tanto, la Arquitectura de la Anticipación sólo debe anticipar la naturaleza y forma de los servicios humanos futuros que requieran atención arquitectónica para funcionar pero también diseñar contenedores futuros, a través de su emplazamiento, forma, vida útil y singularidad, permitan actividades hasta ahora imposibles. Para ello, tanto una comunidad socialmente indefinida como la certeza, la soledad y las dudas deben ser aceptadas de igual manera".

CEDRIC PRICE
"Learning" in *Architectural Design*, n. 38, May 1968. p. 207.

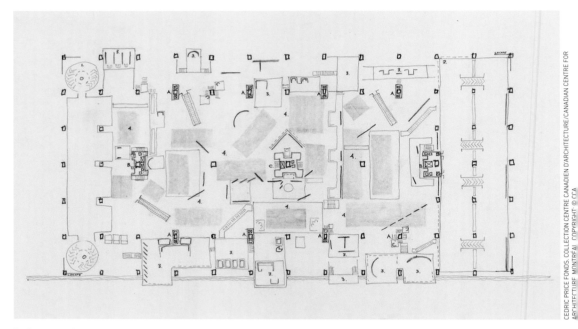

Fun Palace 1963-1977. Cedric Price.
Diagramatic plan, 1963.

A place-symbol where the *flâneur* can feel at home; where the only thing to do is to experience the city. Walter Benjamin's passer-by feels at leisure, in no particular hurry, lacking any sense of urgency. He feels no greater obligation than to adopt as his everyday routine the dilettante leisureliness of the tourist and this is exactly what was on offer at the Fun Palace: a choice between either participating or observing; watching time pass. It was the architect who needed to foresee this new approach to life and to respond to this range of options, to this set of unpredictable phenomena. The Fun Palace was intended to be, in the words of Littlewood, a place where people could reinvent themselves, where they could find strength to go home and continue living their run of the mill existence. Despite Littlewood and Price's audacity, this social utopia, with its cybernetic heart, was never to see the light of day. Price's design for the Fun Palace was coherent, foreseeing a programmed life cycle. It was only in 1976 after several failed attempts to find a viable location that Cedric Price would accept that the project was no more.

Es un recinto-símbolo donde el *flâneur* se siente a gusto, sin nada más que hacer que dedicarse a experimentar la ciudad. El paseante de Walter Benjamin, en su tiempo de ocio, no tiene prisa, ni urgencia. Para él, no existe mejor obligación, que adoptar como actividad diaria la diletante ociosidad del turista. Todo esto es lo que se podría haber hecho en el Fun Palace: elegir entre participar, u observar y ver pasar el tiempo. El arquitecto era quien debía anticiparse a esta nueva actitud y dar una respuesta a este abanico de opciones, a este conjunto de fenómenos impredecibles. Fun Palace debía ser, en palabras de Littlewood, un lugar donde las personas pudieran reinventarse, encontrar fuerzas para volver a casa y continuar con su monótona vida diaria. A pesar del coraje de Littlewood y Price, esta utopía social con corazón cibernético fracasó. Con gran coherencia, Price diseñó el Fun Palace para que tuviera una vida útil programada. Fue en 1976, después de varios intentos fallidos por encontrar un emplazamiento viable, cuando Cedric Price decidió que el proyecto estaba acabado.

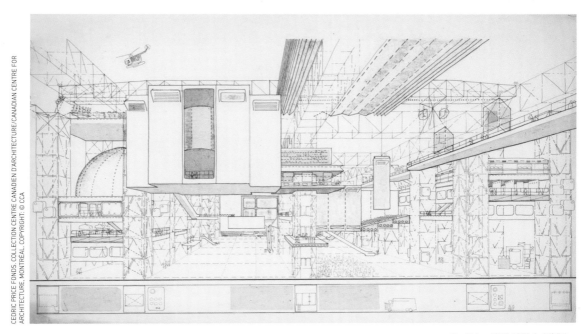

Fun Palace 1963-1977. Cedric Price.
Section included in the pamphlet delivered
by Price, Littlewood and their team in 1964.
Sección incluida en el folleto publicado por
Price, Littlewood y su equipo en 1964.

Fun Palace 1963-1977. Cedric Price

"Arrive and leave by train, bus, monorail, hovercraft, car, tube or foot at any time YOU want to –or just have a look at it as you pass. The information screens will show you what's happening. No need to look for an entrance –just walk in anywhere. No doors, foyers, queues or commissionaires: it's up to you to know how you use it. Look around –take a lift, a ramp, an escalator to wherever or whatever looks interesting. Choose what you want to do –or watch someone else doing it. Learn how to handle tools, paint, babies, machinery, or just listen to your favourite tune. Dance, talk or be lifted up to where you can see other people make things work. Sit out over space with a drink and tune in to what's happening elsewhere in the city. Try starting a riot or beginning a painting –or just lie back and stare at the sky.

What time is it? Any time of day or night, winter or summer –it really doesn't matter. If it's too wet that roof will stop the rain but not the light. The artificial cloud will keep you cool or make rainbows for you. Your feet will be warm as you watch the stars –the atmosphere clear as you join in the chorus. Why not have your favourite meal high up where you can watch the thunderstorm? WHY ALL THIS LOT? 'If any nation is to be lost or saved by the character of its great cities, our own is that nation.' Robert Vaughn, 1843. We are building a short-term plaything in which all of us can realise the possibilities and delights that a twentieth century city environment owes us. It must last no longer than we need it."[1]

"Llegue y vuelva en tren, autobús, monorraíl, aerodeslizador, coche, metro o a pie en el momento que USTED quiera –o simplemente eche un vistazo al pasar.
Las pantallas de información le mostrarán lo que está pasando. No hay necesidad de que busque la entrada –simplemente acceda por cualquier lugar. Sin puertas, ni vestíbulos, sin colas ni porteros: usted decide cómo lo usa. Mire a su alrededor –tome un ascensor, una rampa, una escalera mecánica a cualquier lugar o a lo que le parezca interesante.
Elija lo que quieres hacer –o mire a alguien que lo esté haciendo. Aprenda a manejar herramientas, pintura, bebés, maquinaria, o simplemente escuche su canción favorita. Baile, hable o elévese hasta donde pueda ver a otras personas haciendo funcionar las cosas. Tome una bebida y observe, en sintonía con lo que está pasando en otras partes de la ciudad. Intente iniciar una revuelta

o comience una pintura –o simplemente túmbese y contemple el cielo.
¿Qué hora es? En cualquier momento del día o de la noche, invierno o verano, eso no importa. La cubierta protegerá de la lluvia, pero no impedirá la luz. La nube artificial le mantendrá fresco o hará un arco iris para usted. Sus pies se calentarán mientras observa las estrellas, la atmósfera se despeja mientras se une al coro. ¿Le apetece comer su plato favorito ahí arriba, desde donde se puede ver la tormenta?
¿Por qué todo esto? 'Si alguna nación va a perderse o salvarse por el carácter de sus grandes ciudades, esa es la nuestra.' Robert Vaughn,1843. Estamos construyendo un juguete temporal con el que todos nosotros podemos darnos cuenta de las posibilidades y delicias que un entorno urbano del siglo XX nos podría ofrecer. No debe durar más de lo que lo necesitemos".[1]

1. Text included in the pamphlet delivered by Price, Littlewood and their team in 1964. Quoted in Stanley Mathews, op. cit. p.136.

1. Texto incluido en el folleto publicado por Price, Littlewood y su equipo en 1964. Citado en Stanley Mathews, op. cit. p.136.

Littlewood and Price's joint project aimed to build an artefact within which the new being, who with less working hours and more free time was now confronting the technological age, could be reinvented. The intervention of Gordon Pask, one of the first cyberneticians and who introduced the concept of uncertainty into architectural systems during his time at the Cedric Price office in the 1960s, played a key role in the development of the idea for the Fun Palace. Thanks to Pask and the cybernetic committee, the conclusion was reached that the (not modified) users entering the Fun Palace would be differentiated from the (modified) users leaving. This was not the first time that architecture had been granted the capacity to effect changes in the user, whereby the architect, rather than focusing on form design, becomes a system designer and is given the task of finding solutions to the changing needs of users.[2] In the 1920s, the Russian Constructivists were encouraged to improvise regarding the new needs produced by the new ideology which led them to create the Workers' Clubs, a far cry from the private clubs of the European aristocrats. These were places to counterbalance the hardship of daily life and to fill in those moments of non-work with culture and slogans. The Workers' Clubs also aimed to alter the individual, to create a socialist within a new social structure.

The Centre Pompidou was born out of both a policy of voluntary anticipation and an aim to disrupt the traditional relationship between society and art. The architects were influenced by two precedents, the Fun Palace and the Soviet Workers' Clubs, the uncertainty of the programme and free access culture. Paradoxically, this centre has been reabsorbed by the system to become exactly what it was originally trying to avoid: a predictable container for the dilettante tourist. (Continued on p. 16)

La colaboración entre Littlewood y Price se dirigió hacia la construcción de un artefacto en el que reinventar al nuevo ser para enfrentarse a la era tecnológica, con menos horas de trabajo y más tiempo libre. La intervención de Gordon Pask, uno de los primeros cibernéticos, que introdujo el concepto de indeterminación en los sistemas arquitectónicos durante su estancia en el estudio de Cedric Price en los años 60, fue clave para el desarrollo de la idea del Fun Palace. Gracias a Pask y al comité cibernético, se llegó a la conclusión de que los usuarios (no modificados) que entraran en el Fun Palace, se diferenciarían de los usuarios salientes (modificados). No era la primera vez que se otorgaba a la arquitectura la capacidad de producir cambios en el usuario, donde el arquitecto más que centrarse en el diseño de formas, se convierte en un diseñador de sistemas y en aquel que da respuesta a las necesidades cambiantes del usuario.[2] En los años veinte, los constructivistas rusos se vieron empujados a improvisar sobre las nuevas necesidades que producía la nueva ideología y crearon los Clubes de Trabajadores, que no tenían nada que ver con los clubes privados de la aristocracia europea. Eran lugares para compensar la penuria de la vida diaria y rellenar con cultura y consignas los momentos de no-trabajo. Los clubes de trabajadores también tuvieron el propósito de modificar al individuo, de crear un ser socialista dentro de una nueva estructura social.

El Centro Pompidou también nació de una voluntad política de anticipación y de trastocar la manera tradicional que la sociedad tenía de relacionarse con el arte. Sus creadores bebieron de las dos fuentes anteriores, el Fun Palace y el club soviético, de la indeterminación del programa y de una oferta cultural de libre acceso. Ahora en cambio, ha sido reabsorbido por el sistema y se ha convertido en lo que, en origen, trató de evitar: un contenedor previsible para el turista diletante. (Continúa en p. 16)

2. José Hernández. "From the Fun Palace to the Generator. Cedric Price and the conception of the first intelligent building". *ARQ* 90. Santiago, Chile. 2015. José Hernández. "Del Fun Palace al ̍enerator. Cedric Price y la concepción ̍̍mer edificio inteligente". *ARQ* 90. ̍̍ile. 2015.

Leningradskaia Pravda building Competition, Moscow,1924. Constantin Melnikov

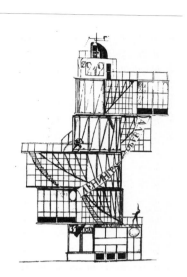

A 25m² plot was the site allocated to build the Moscow offices of the newspaper *Pravda*, the organ of the Communist Party in Leningrad which was in direct competition with the Moscow branch of the Party. There were no height constraints which led to the competition entries leaning towards solutions based on superimposed elements, stacking them on top of one another. The most outstanding feature of Melkinov's project was its capacity for movement and the role played by workers.

The actual users could alter the layout of the building. By motorizing the steel and glass volumes protruding from a stationary central core, the overhanging elements could rotate and be given different orientations. In this case, Melnikov gave the workers an active role in the layout of the building. Unlike Cedric Price's Fun Palace, where users could either act or be mere spectators of the activities, in Melkinov's project, the workers intervened as real activators in terms of the final aspect of the building.

Una parcela de 25 m² era el solar asignado para la construcción en Moscú de la delegación del diario *Pravda*, órgano portavoz del partido comunista de Leningrado y competencia directa de la rama del partido en Moscú. La altura máxima no tenía límite, lo que dirigió la respuesta del concurso hacia soluciones de elementos superpuestos, apilando usos, El hecho más destacado del proyecto de Melnikov era su capacidad de movimiento y el papel que desempeñaban los trabajadores. Los propios usuarios podían modificar

la configuración del edificio. Mediante la motorización de unos volúmenes de acero y vidrio que sobresalían de un núcleo central fijo, los cuerpos en voladizo podían girar y disponerse en orientaciones cambiantes. En este caso, Melnikov otorgaba a los trabajadores un papel activo en la configuración del edificio. A diferencia del Fun Palace de Cedric Price, donde se permitía a los usuarios que fueran meros espectadores de actividades, en el proyecto de Melnikov, los trabajadores intervenían como auténticos activadores en el aspecto final del edificio.

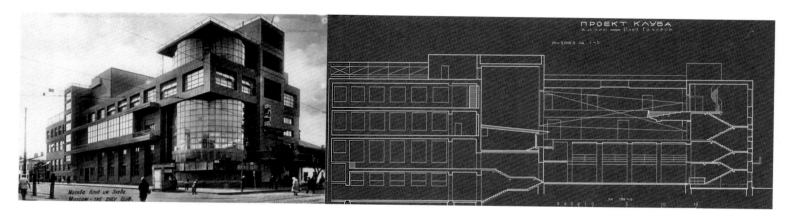

Zuyev Workers' Club Moscow, 1927-1929. Ilya Golosov

In the 1920s, Ilya Golosov and other Constructivist architects had to create a new building to fulfil an urgent need: to fill in the workers' non-productive hours with activities. The Workers' Club was launched as a condenser within which construction of the new man was to take place. It was a laboratory experiment, a place providing hours of entertainment, promoting culture and maintaining social control. A cultural centre, youth club, events hall, and social club all in one, which was to meet intellectual needs. In the

Zuyev Club, Golosov plays with a glass cylinder and a rectangular concrete block internally connected by stairs, with overhanging galleries offering unexpected views of the city. The interconnected, blind and transparent volumes would later be seen as a milestone and a reference in urban architecture. In the case of the Club, there was an implicit idea of participation, flexibility, adaptation, confronting the uncertainty of uses and all this at a time when architect was called on to anticipate future needs.

En los años 20, Ilya Golosov y otros arquitectos constructivistas tuvieron que crear un nuevo edificio para una urgente necesidad: la ocupación con actividades de las horas en las que los trabajadores no producían. El Club de Trabajadores nació como un condensador donde se construía el hombre nuevo. Era un experimento de laboratorio, un lugar donde se ofrecían horas de entretenimiento, se fomentaba la cultura y se mantenía el control social. Una casa de cultura, club joven, sala de espectáculos, o club social, todo en uno, que debía satisfacer las necesidades

intelectuales de la población. En el Club Zuyev, Golosov juega con un cilindro de vidrio y un bloque rectangular de hormigón comunicados interiormente mediante escaleras, con galerías voladas que ofrecen puntos de vista inesperados sobre la ciudad. Volúmenes maclados, ciegos y transparentes, que se convierten en un hito y referencia urbana. En el Club, ya estaba implícita la idea de participación, de flexibilidad, de adaptación, de hacer frente a la indeterminación de los usos. Fue un momento, en el que se exigió al arquitecto que fuera capaz de anticipar necesidades futuras.

PRICE VERSUS PIANO/ROGERS

"… the concept of a stack of clear floors that can be adapted to a variety of cultural and recreational functions seems to recall the 'Neo-Babylon' of Constant Nieuwenhuys, or the Fun Palace of Cedric Price and Joan Littlewood, even if the project was never as radical as the floorless Fun Palace or as casually innovatory as Price's InterAction now completing for Ed Berman."

"… el concepto de apilamiento de plantas libres que pueden adaptarse a una variedad de funciones culturales y de ocio parece retomar el 'Neo-Babylon' de Constant Nieuwenhuys o el Fun Palace de Cedric Price y Joan Littlewood, incluso si el proyecto no ha sido nunca tan radical como el Fun Palace, sin forjados, ni tan informalmente innovador como el InterAction de Price ahora terminado por Ed Berman"

REYNER BANHAM
"Pompidou cannot be perceived as anything but a monument". *Architectural Review.* May 1977.

CEDRIC PRICE FONDS. COLLECTION CENTRE CANADIEN D'ARCHITECTURE/CANADIAN CENTRE FOR ARCHITECTURE, MONTRÉAL. COPYRIGHT: © CCA

CEDRIC PRICE FONDS. COLLECTION CENTRE CANADIEN D'ARCHITECTURE/CANADIAN CENTRE FOR ARCHITECTURE, MONTRÉAL. COPYRIGHT: © CCA

ORIGINAL -OFFICE

InterAction Centre Kentish Town, London, 1963-1977. Cedric Price, Ed Berman

The failure of the Fun Palace did not prevent Cedric Price from putting into practise his idea of a container to house an uncertain blend of cultural, scientific and social events. The InterAction Centre built in Kentish Town, in north London, has gone down in the annals of architecture as a cheap version of the Centre Pompidou. Based on Price's scale models comparing the InterAction Centre, the Centre Pompidou, the Fun Palace and the Generator Project (see p.17), it is possible to establish the differences between the approaches and which of the cases has had the greatest influence over the multi-functional projects currently being designed. The InterAction Centre was described by Cedric Price as: "a multifunctional community resource centre providing in its first phase: workshops, rehearsal rooms, studios, meeting rooms, halls, catering areas and administration offices." It was occupied first by the InterAction Trust and then later by several businesses, with a programme which could easily belong to that of any modern-day sports and cultural centre in an average contemporary city or that of a social activator located at the centre of a deprived area. The InterAction Centre was a spatial structure on a concrete plinth into which pre-fabricated modules could be inserted. It could have contained a circus or held shows and performances. It was always unfinished, that was its condition.[1]

El fracaso del Fun Palace no impidió a Cedric Price llevar a cabo su idea de un contenedor que diera cobijo a una mezcla incierta de eventos culturales, científicos y sociales. El InterAction Centre construido en Kentish Town, al norte de Londres, ha quedado en la historia de la arquitectura como una versión barata del Centro Pompidou. A partir de los esquemas a escala de Price, en los que compara: el InterAction Centre, el Centre Pompidou, el Fun Palace y el Generator Project (see p.17), se pueden establecer las diferencias entre todas las aproximaciones y cuál de todos estos casos sigue influyendo más sobre los proyectos multifunción que se diseñan actualmente. El InterAction Centre fue descrito por Cedric Price como: "un centro de recursos comunitarios multifuncional, que proporciona, en su primera fase: talleres, salas de ensayo, estudios, salas de reuniones, aulas, zonas de restauración y oficinas de administración." Fue ocupado inicialmente por el InterAction Trust y después por varias empresas, con un programa que podría corresponder al de cualquier centro cultural-deportivo actual de una ciudad media contemporánea, o al de un activador social situado en el centro de un barrio deprimido. El InterAction Centre fue una estructura espacial sobre un zócalo de hormigón en la que se podían insertar módulos prefabricados. Podría haber incluido un circo, o acogido espectáculos y actuaciones. Siempre estuvo inacabado, esa era su condición.[1]

1. Hans Ulrich Obrist. Interview with Cedric Price in *Re: CP by Cedric Price*. Birkhäuser, 2003. p. 71.

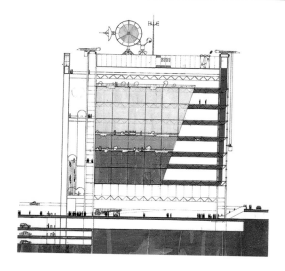

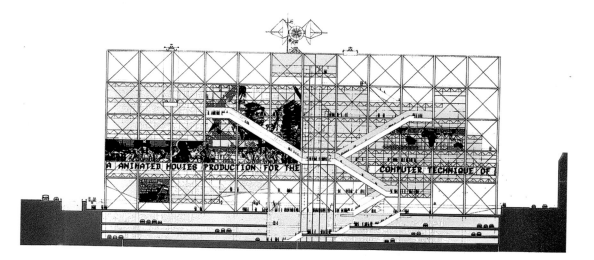

Centre Pompidou Paris, 1971-1977. Piano, Rogers

Work on the Centre Pompidou was completed in 1976 and the centre opened to the public in 1977, just as the InterAction Centre by Cedric Price was being terminated. Of course Richard Rogers and Renzo Piano knew of both the Fun Palace and the Archigram project from the previous decade. The aim of the Centre Pompidou was as a regenerator of the Les Halles district of Paris. It was famous for its impertinent zeal for programmatic freedom and led to a clean break with the prevailing idea of the contemporary art museum as a 'white box'. Four uses were brought together in one single building: arts centre, library and *mediatheque*, industrial centre for creation and a centre for music creation. In terms of its idea as a flexible structure, in the lightness of the facade and in its will to transform itself over time, the Centre Pompidou assumed the basic concepts of the Fun Palace. Renzo Piano said the following about the Pompidou: "now it's a cultural centre, later it might become a University and then, I don't know... a cattle market?"[1] words which could have quite easily have been said by Cedric Price himself.

En 1976 finalizaron las obras del Centro Pompidou, que abriría sus puertas en enero de 1977, justo cuando se terminó de construir el InterAction Centre de Price. Richard Rogers y Renzo Piano conocían, por supuesto, el proyecto del Fun Palace, así como los trabajos de Archigram de la década precedente. El propósito del Pompidou era el de convertirse en el regenerador de la zona de Les Halles en París. Hizo suyo un descarado afán por la libertad programática y supuso la ruptura con la idea imperante de museo de arte contemporáneo como 'caja blanca'. Se unificaron en un solo edificio cuatro usos: centro de arte, biblioteca y mediateca pública, centro de creación industrial y un centro de creación musical. En la idea de una estructura flexible, en la ligereza de la fachada y en la voluntad de transformación a lo largo del tiempo, el Centre Pompidou asumía los planteamientos del Fun Palace. Estas palabras de Renzo Piano sobre el Pompidou: "ahora es un centro cultural, después puede que una Universidad y más adelante, no sé... ¿un mercado de ganado?"[1] podrían haber sido pronunciadas perfectamente por Cedric Price.

1. Nathan Silver. *The Making of Beaubourg. A building biography of the Centre Pompidou, Paris.* The MIT Press. 1994. p. 26.

CHANGE AND PERMANENCE

But can one have a permanent image of change? The problem is one that has fascinated philosophers and poets as long as language has been able to distinguish the two concepts, but it has troubled architectural theory only since the Futurists at the beginning of the present century decided to celebrate the impermanence of technology. On the whole, the response has been to design permanent statues to ideas of impermanence, but Piano+Rogers have gone further beyond that- impermanence, in the sense of adaptability, applies to everything except the most massive members of the structure.
Maybe it was necessary to generate a fixed image at an early point, in order to keep the rest of the design process under control, but if that fixed image can retain its present power until, say, the century's end, Centre Pompidou will prove to have succeeded in one of the most teasing but central tasks that were in the unwritten (pace Giedion) programme of the Modern Movement."

"¿Puede haber una imagen permanente del cambio? El problema ha fascinado a filósofos y poetas porque el lenguaje ha sido capaz de distinguir los dos conceptos, pero ha confundido a la teoría arquitectónica desde que los futuristas de principios del presente siglo decidieron celebrar la transitoriedad de la tecnología. En general, la respuesta ha sido el diseño de estatuas permanentes para ideas de la impermanencia, pero Piano + Rogers han ido más allá de esa permanencia, en el sentido de una adaptabilidad que se aplica a todo, excepto a los grandes elementos estructurales.
Tal vez era necesario generar una imagen fija al principio, con el fin de mantener el resto del proceso de diseño bajo control, pero si esa imagen fija puede mantener su fuerza actual hasta, digamos, finales de siglo, el Centro Pompidou demostrará que ha triunfado en uno de los cometidos más provocadores pero esenciales del programa no escrito (descanse en paz Giedion) del Movimiento Moderno."

REYNER BANHAM
"Pompidou cannot be perceived as anything but a monument". *Architectural Review.* May 1977.

(Continued from p. 12) Maybe if Cedric Price had actually built the Fun Palace, the building would have suffered the same end.

One of his last attempts to synchronize time and architecture, that is an architecture existing in the present, was initiated in 1976 with Generator, a project which anticipated real time situations, where once again users became creators.

At the same time that the Centre Pompidou was opening its doors, Cedric Price was closing his adventure with the Fun Palace, and receiving an overseas commission from the philanthropist Howard Gilman, an industrialist, to design a visitors' centre in White Oak Plantation, Florida.

The project, which was also never built, reaches the heady heights of utopian architecture, where form design is replaced for system design. Generator aimed to meet user needs in real time, provided these were for leisure or enjoyment, never for production or basic needs. (See description opposite)

In this race to adapt architecture to the present time, the generators become complex buildings which, devoid of any contingency, evolve faster and are able to anticipate potential changes, to reconfigure themselves in order to adapt. Here, complexity does not reside in the form of the design, but in the multiple reconfiguration options resulting from the neutral design units which can be adapted to different uses. Cedric Price stated that architecture was too slow to solve problems and that it had to create new desires and appetites. This is the role of the generators; to anticipate the unexpected, to activate our lives. In the words of Price: "And having learned that you were really rather a bright person, you'd go back to your old man or your wife and decide that it wasn't so bad after all".[3]

3. Stanley Mathews, op cit. p 66

(Viene de p. 12) Puede que si Cedric Price hubiese tenido la oportunidad de construir su Fun Palace, el edificio habría sufrido una deriva parecida.

Una de sus últimos intentos por acompasar tiempo y arquitectura, esto es, arquitectura en tiempo presente fue la que inició en 1976 con Generator, un proyecto que anticipaba situaciones en tiempo real, con los usuarios convertidos de nuevo en creadores.

Mientras el centro Pompidou se preparaba para abrir sus puertas, Cedric Price cerraba su aventura con el Fun Palace y recibía desde ultramar un encargo del filántropo Howard Gilman, un industrial del sector papelero, para crear un centro de visitantes en White Oak Plantation, Florida.

El proyecto, que tampoco llegó a construirse, alcanza una de las cumbres de la arquitectura utópica, aquella en la que el diseño de formas es sustituido por el diseño de sistemas. El objetivo del Generator era satisfacer las necesidades del usuario en tiempo real, siempre que fueran éstas de ocio y disfrute, en ningún caso productivas o de primera necesidad.

(Ver descripción en página opuesta)

En este carrera de adecuación de la arquitectura al tiempo presente, los generadores son edificios complejos que, despojados de todo lo contingente, evolucionan más rápidamente y son capaces de anticipar posibles cambios, de reconfigurarse para adaptarse. En este sentido, la complejidad no reside en su diseño formal, sino en las múltiples posibilidades de reconfiguración a partir de unidades de diseño neutras, capaces de acoger diferentes usos.

Cedric Price afirmó que la arquitectura era demasiado lenta para resolver problemas, por lo que su obligación era despertar nuevos deseos y apetitos. Ese es papel de los generadores, anticipar lo inesperado, activar nuestras vidas. En palabras de Price: "...una vez que sabes que eres un tipo bastante brillante, vuelves con tu marido o con tu mujer y te das cuenta de que al fin y al cabo no está tan mal"[3]

Generator Project White Oak Park, Florida (USA) 1976-1979. Cedric Price

Howard Gilman's commission was to create a leisure centre for visitors. Cedric Price saw the opportunity to bypass the architectural project and create a reconfigurable system of computer-controlled devices which could adapt to visitor desires. Assisted by Julia and John Frazer (*An Evolutionary Architecture*, 1995) he developed a project based on an orthogonal layout of foundation pads and tracks. A series of modular cubes, made up of independent elements, could be positioned at different points, creating different groupings.

Using sensors, the project proposed different relational levels and phases between the desires of the actors involved –from the architect to the user– and the physical elements, foreseeing the use of chips in all the project elements.

This concept, pre-dating the Internet of Things by over 40 years, earned it the title of the first intelligent building project.

El encargo de Howard Gilman era crear un centro de ocio para visitantes. Cedric Price vio la oportunidad de sobrepasar el proyecto arquitectónico y crear un sistema reconfigurable de dispositivos activados por ordenador, de manera que pudieran adaptarse a los deseos de los visitantes. Con la colaboración de Julia y John Frazer (*An Evolutioary Architecture*, 1995) desarrollo un proyecto basado en una trama ortogonal de puntos de cimentación y raíles. Una serie de cubos modulares, compuestos a su vez de elementos independientes, podrían situarse, mediante grúas en diferentes puntos, adoptando diferentes agrupaciones.

A través de sensores, el proyecto proponía diferentes niveles y fases de relación entre los deseos de los actores involucrados –desde el arquitecto hasta el usuario– y los elementos físicos, contemplando la introducción de chips en todos los elementos del proyecto.

Esta concepción, que se adelanta en 40 años al Internet de las cosas, le valió el título de primer proyecto de edificio inteligente.

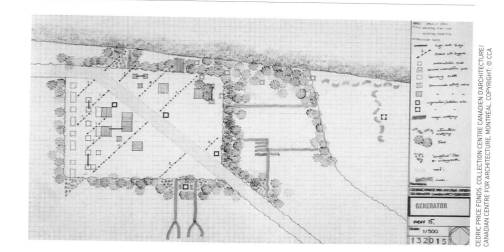

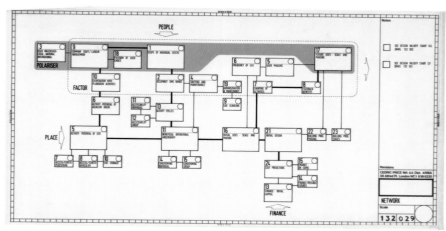

Generators compared 1977-80. Cedric Price

While he was in the midst of developing his Generator project for Florida, Cedric Price made, on a project report template, a size-based comparison of the InterAction Centre, the Centre Pompidou, the Fun Palace and Generator Project.

He represents them with two schematic elevations of each, defining their character as follows: "The InterAction Centre is represented through its open and closed spaces. Although there is a portion of the building that is fixed, the exterior space is framed by the structure that defines the area of variability of the project.

The Fun Palace is entirely a space for opportunity. Represented by a line that limits a void, Price draws the crane level as a dotted line above the building. This representation, though the most diagrammatic in the whole of Price's archive, is the most accurate with respect to the variable and indefinite nature of the project.

In contrast, Price drew the Centre Pompidou as a black square. Unlike the Fun Palace, the Centre Georges Pompidou is a fixed scheme, where all the possibilities are always predetermined and confined to the structure. Finally the Generator is represented as a regular scheme, and, like the Fun Palace, the dotted line of the crane level appears again, but this time over a layout of scattered pieces. Even though they are formally different, the diagram is perfectly analogous to the transformational possibilities of the Fun Palace."[1]

1. José Hernández. op. cit

En pleno desarrollo de su Generator Project para Florida, Cedric Price realizó, sobre una plantilla de memoria de proyecto, una comparación de tamaño entre el InterAction Centre, el Centre Pompidou, el Fun Palace y el Generator Project.

Los representa con dos alzados esquemáticos cada uno, con los que define su carácter: "El InterAction Centre se representa a partir de sus espacios abiertos y cerrados. Si bien hay una porción del edificio que es fija, el espacio exterior se encuentra enmarcado por la estructura que delimita el área de variabilidad del proyecto. El Fun Palace, en su totalidad, es un espacio de oportunidad. Representado por una línea que delimita un vacío, Price sólo se limita a dibujar como una línea punteada el nivel de las grúas sobre el edificio. Esta representación, siendo la más diagramática de todo el archivo de Price, es la más certera respecto de la naturaleza variable e indefinida del proyecto.

En contraste, Price dibuja el Centre Pompidou como un cuadrado negro. A diferencia del Fun Palace, el Centre Georges Pompidou es un esquema fijo donde todas sus posibilidades están siempre predeterminadas y confinadas por la estructura. Finalmente, el Generator es representado como un esquema regular que, al igual que el Fun Palace, aparece nuevamente como línea punteada al nivel de las grúas, pero esta vez sobre un *layout* de piezas dispersas. Aunque formalmente son diferentes, el diagrama es perfectamente análogo a las posibilidades de transformación del Fun Palace."[1]

1. José Hernández. op. cit

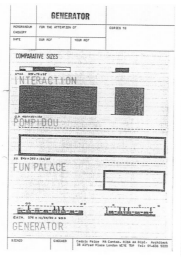

Size comparisons made by Cedrid Price between InterAction Centre, Centre Georges Pompidou, Fun Palace and Generator Project.
Comparación de tamaños realizada por Cedric Price entre InterAction Centre, Centro Georges Pompidou, Fun Palace y Generator Project.

Incubator of Uses

STÉPHANIE BRU for Bruther

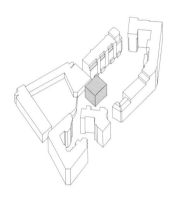

Saint-Blaise district is one of the densest in Europe. Paradoxically, the diversity of activities, architectures, populations or uses does not exist. The public space is split and the ground floors are opaque: the horizon is saturated. The animation centre responds to this situation by asserting itself as a compact object that releases as much as possible the ground for the organization of activities and deploys vertically. This is the illustration of the vernacular-technological concept developed by the agency. Technology uses tools, machines, processes and methods. Vernacular refers to what is woven or grown at home and focuses on a particular context. Saint-Blaise summons two imaginaries which, a priori, are excluded.

Laminate and composite, the building uses an architectural vocabulary that is in opposition to its environment by replacing abstraction with the expression of function, diversity with uniformity of textures and colours, and transparency with the very large opacity of surrounding architectures. The materials used derive from industrial production, the poetry of the technical object operates. This

El distrito de Saint-Blaise es uno de los más densos de Europa. Paradójicamente, la diversidad de actividades, arquitecturas, poblaciones o usos no existe. El espacio público está dividido y las plantas bajas son opacas: el horizonte está saturado. El centro responde a esta situación, afirmándose como un objeto compacto que libera el terreno lo más posible para la organización de las actividades y se despliega verticalmente. Ilustra el concepto de lo vernáculo-tecnológico desarrollado por nuestro estudio.

La tecnología utiliza herramientas, máquinas, procesos y métodos. Lo vernáculo se refiere a lo que se teje o se cultiva en casa y se centra en un contexto particular. Saint-Blaise convoca dos imaginarios que, a priori, son excluyentes. Estratificado y compuesto, el edificio utiliza un vocabulario arquitectónico que se opone a su entorno, sustituyendo la expresión de la función por la abstracción, la uniformidad de las texturas y los colores por la diversidad y la gran opacidad de las arquitecturas circundantes por la transparencia. Los materiales utilizados derivan de la producción industrial, la poesía del objeto técnico funciona.

FILIP DUJARDIN

machine-building has many ramifications to untangle. This complexity is the result of mixed programs and is an inherent condition of architecture. It is a collection of juxtaposed and heterogeneous elements which present a certain cohesion between them, a whole whose form has not been predefined. Its morphology, subtly shaped, gives the project a sculptural character and proposes a break with the utilitarian architecture that characterizes the district.

Transparent, the building becomes an architecture-link that establishes new perspectives and connects the different amenities of the neighbourhood, including nurseries and schools. The animation centre then takes part in this large pedestrian area which is animated to the rhythm of the events of the district. It is now a resolutely public covered space, an orthosis for the body that guarantees a benevolent welcome. It is a real course that is proposed from the ground floor to the floors. At each level, the distributive system expands into generous open spaces on the neighbourhood, inspired by the archetype of the greenhouse.

Este edificio-máquina tiene muchas ramificaciones que desenmarañar. Esta complejidad es el resultado de programas mixtos y es una condición inherente de la arquitectura. Es una colección de elementos yuxtapuestos y heterogéneos que presentan cierta cohesión entre ellos, un todo cuya forma no ha sido predefinida. Su morfología, sutilmente calculada, da al proyecto un carácter escultórico y propone una ruptura con la arquitectura utilitaria que caracteriza al barrio.

Transparente, el edificio se convierte en un vínculo arquitectónico que establece nuevas perspectivas y conecta los diferentes equipamientos del barrio, incluyendo guarderías y escuelas. El centro participa de la zona peatonal, que se dinamiza al ritmo de los acontecimientos del barrio. Se convierte en un espacio cubierto con vocación pública, una órtesis para el cuerpo que garantiza una amable acogida. Es un verdadero recorrido el que se propone desde la planta baja a los pisos superiores. En cada nivel, el núcleo de circulaciones se expande en amplios espacios abiertos al barrio, inspirados en el arquetipo del invernadero.

SPORT AND CULTURAL CENTRE
Bruther
Paris (France), 2014

PROGRAMME
Culture
Sport
Civic

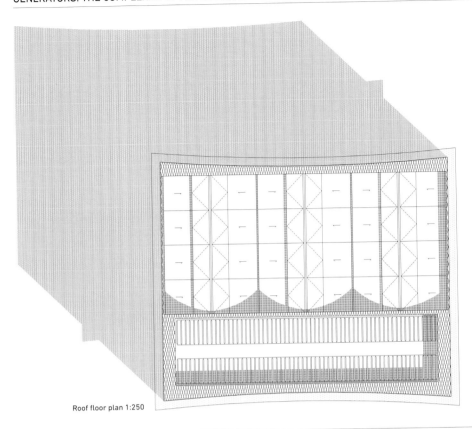

Roof floor plan 1:250

The Saint-Blaise Centre is a hybrid project, composed of many disparate elements and independent parts. It is nonetheless a singular object that federates, a landmark in the city. On the height of its four facades, the project declines and stratifies a series of materialities that allow more or less transparency according to the activities contained in the volume. Through this system, the centre adapts its envelope to changing specific needs and exposes these new uses by taking part in the attractiveness of the neighbourhood. Generosity is the common denominator to all the spaces of this vertical aggregate. These can easily be reinterpreted according to the evolutions of need and use.

The Saint-Blaise cultural and sports centre is flexible, compact, it radiates without extending to the image of a lighthouse. It is, moreover, a new polarity, a place of convergence, a public space revealed and restored to its public. This urbanity anticipates, evolves and lasts: it is a universe that is constantly renewed.

El Centro Saint-Blaise es un proyecto híbrido, compuesto por elementos dispares y partes independientes. No obstante, es un objeto singular que se fusiona, un hito en la ciudad. A lo largo de sus cuatro fachadas, el proyecto declina y estratifica una serie de materialidades que permiten más o menos transparencia según las actividades contenidas en el volumen. A través de este sistema, el centro adapta su envolvente a las necesidades específicas cambiantes y expone los nuevos usos participando en el atractivo del barrio.

La generosidad es el denominador común de todos los espacios de este agregado vertical. Éstos pueden ser fácilmente reinterpretados de acuerdo con las evoluciones de necesidad y uso.

El centro cultural y deportivo de Saint-Blaise es flexible, compacto, ilumina sin recordar la imagen de un faro. Constituye, además, una nueva polaridad, un lugar de convergencia, un espacio público redescubierto y devuelto a su público. Este equipamiento anticipa, evoluciona y dura: es un universo que se renueva constantemente.

Site plan 1:10000

FILIP DUJARDIN

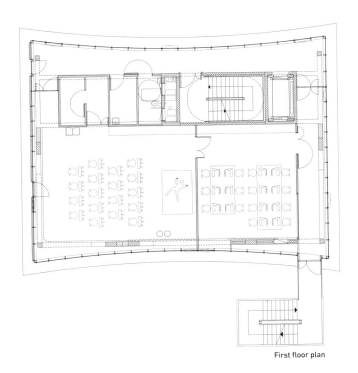

First floor plan

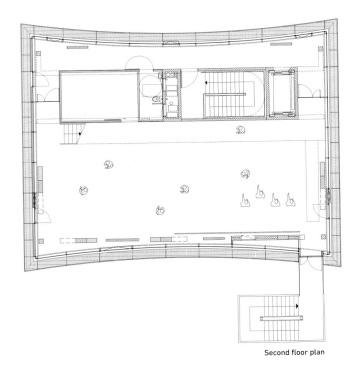

Second floor plan

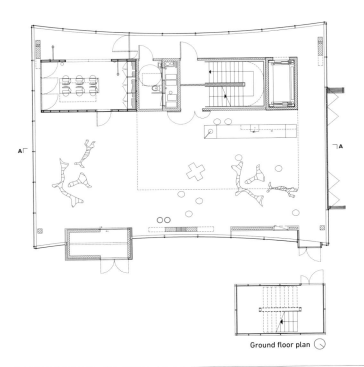

A⌐   ⌐A

Ground floor plan

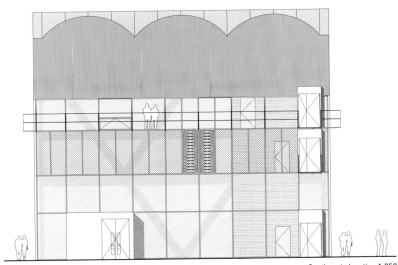

Southeast elevation 1:250

FILIP DUJARDIN

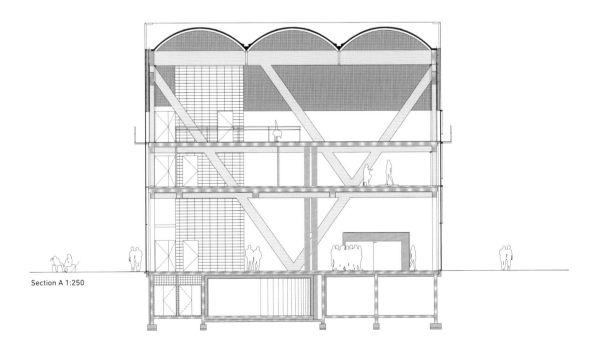

Section A 1:250

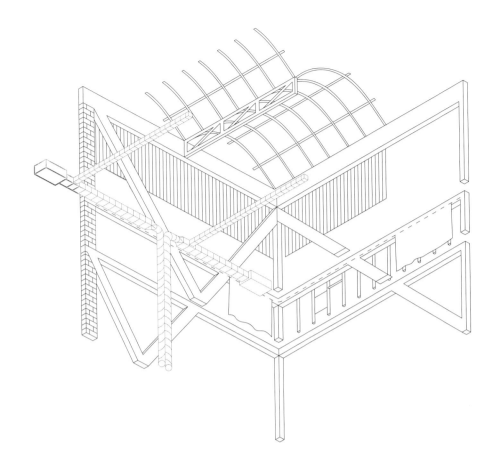

Axonometry from the inside with the three levels, curved roof skylights and air ducts of the first floor.
Axonometría desde el interior con los tres niveles, los lucernarios curvos de cubierta y los conductos de aire de la planta primera.

FILIP DUJARDIN

FILIP DUJARDIN

On Complexity

STUDIO MUOTO

We see complexity in architecture in the way buildings contain sometimes more than they seem to contain. Our recent project on the Saclay Campus is not complex in the sense that we conceived it as containing a city that was yet to come. A potential city you could only feel through the experience of the building. Coming early in the planning of the campus, it was a kind of first stone, surrounded by cornfields and roadworks. It was an isolated building that had to be followed by new buildings and new public spaces. The question was: how can we start a city here? How can a building initiate, or prefigure a city that is neither built, nor designed? Usually the infrastructure comes first. There are streets, squares, and building laws, maximum heights, material restrictions and so on. There is an urban context that makes the building urban as it should be. But how do you manage when this urban context comes after the building itself? Our response was to conceive the project as an infrastructure itself, a big urban shelf, with floors working as a series urban squares. The outdoor stairway crosses the building from the inside, from the ground floor to

Entendemos la complejidad en arquitectura en el sentido de que los edificios contienen a veces más de lo que parecen contener. Nuestro reciente proyecto en el Campus de Saclay es complejo en la manera de que lo concebimos como conteniendo una ciudad que estaba por venir. Una ciudad potencial que sólo se podía sentir a través de la experiencia del edificio. Al ser un edificio adelantado en la planificación del campus, fue una especie de primera piedra, rodeada de campos de maíz y calles en obras. Era un edificio aislado que debía continuarse en nuevos edificios y nuevos espacios públicos.

La pregunta fue: ¿cómo podemos empezar aquí una ciudad? ¿Cómo puede un edificio iniciar o prefigurar una ciudad que todavía no está construida ni diseñada? Por lo general, la infraestructura es lo primero. Hay calles, plazas, normativa de edificación, alturas máximas, restricciones de materiales y todo eso. Hay un contexto urbano que hace que el edificio sea urbano como debería ser. Pero ¿cómo se controla todo esto cuando ese contexto urbano viene después del edificio en sí? Nuestra respuesta fue concebir el proyecto como una infraestructura propia, una gran estantería urbana, con los pisos

MAXIME DELVAUX

the roof, and turns the building into a Klein bottle. You're both inside and outside. It is accessible night and day, as much as a street can be. It leads whoever chooses to take it to a restaurant, an open-air terrace, sport rooms and basketball courts. All these activities are accessible independently. From the outside, nothing shows that the building contains such a mix of activities. Its urban complexity only appears as you climb the stairway and discover that there is more than meets the eye. Complexity here is not simply that of a maze. It is not misleading. It does not get you lost. It is more like to a deep or confused transparency. One that lets you see more and more as you get closer. Like a binocular that lets you see on more and more details as you focus. Complexity in that sense is the way a building offers itself to users as an expected experience of events. An experience that can be joyful, as much as it can be frightening, or distressing.

funcionando como una serie de plazas urbanas. La escalera exterior cruza el edificio desde el interior, desde la planta baja hasta el techo y convierte el edificio en una superficie similar a una botella de Klein. Uno está a vez dentro y fuera. Es accesible día y noche, tanto como lo puede ser una calle. Lleva a quien quiera dejarse conducir a un restaurante, a una terraza al aire libre, a salas deportivas y a canchas de baloncesto. Todas estas actividades son accesibles de forma independiente. Desde el exterior, nada muestra que el edificio contempla tal mezcla de actividades. Su complejidad urbana sólo aparece cuando subes la escalera y descubres que hay más de lo que parece.

La complejidad aquí no es simplemente la de un laberinto. El edificio no es engañoso. No te pierdes. Se parece más a una transparencia profunda o confusa, como aquella que le permite a uno ver más y más a medida que se acerca. Como unos prismáticos que le dejan a uno ver cada vez más y más detalles a medida que enfoca. La complejidad en ese sentido es la forma en la que un edificio se ofrece a los usuarios, como si fuera una experiencia esperada de acontecimientos. Una experiencia que puede ser gozosa, tanto como aterradora, o angustiosa.

PUBLIC CONDENSER
Studio Muoto
Paris-Saclay (France), 2016

PROGRAMME
Restaurant, cafeteria
Indoor and outdoor sports facilities
Public spaces
Car and bike park

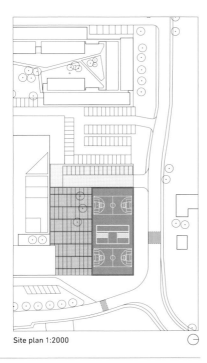

Site plan 1:2000

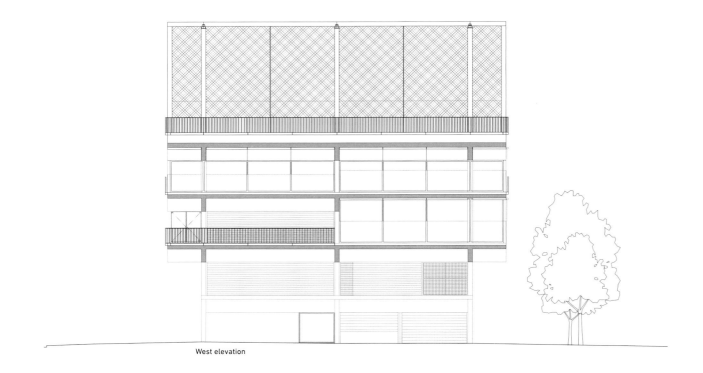

West elevation

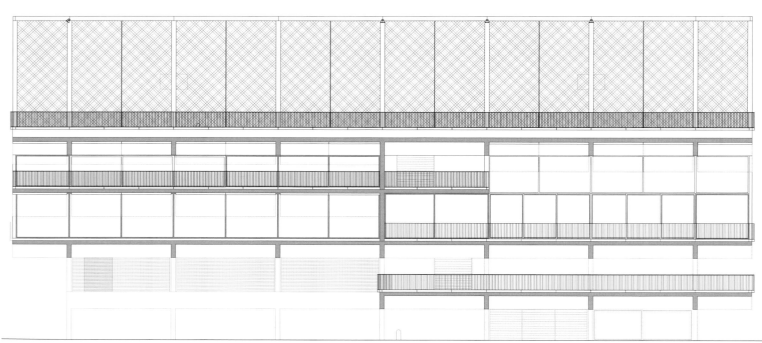

South elevation 1:250

a+t

MAXIME DELVAUX

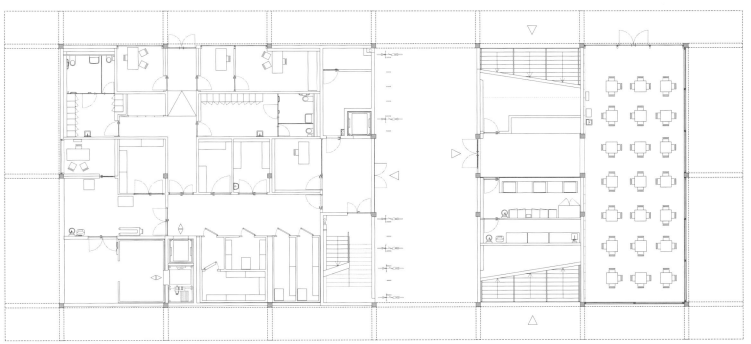

Ground floor plan 1:250

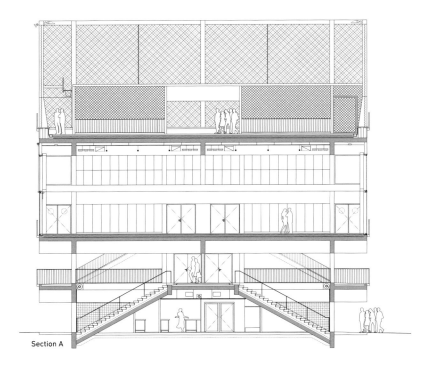

Section A

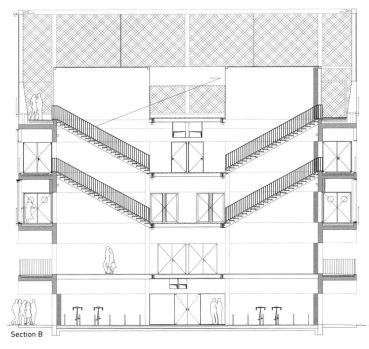

Section B

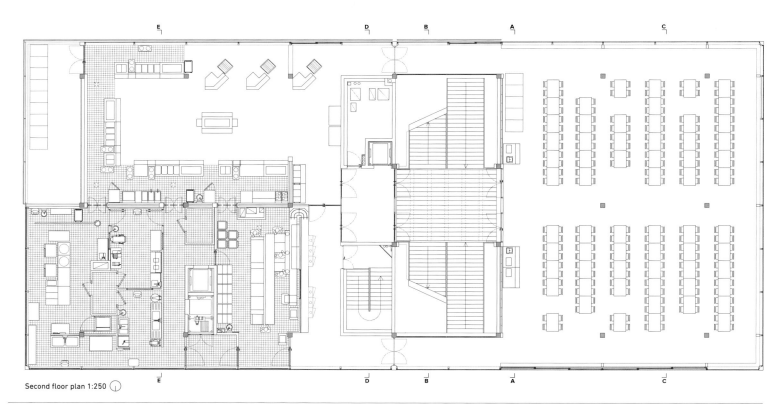

Second floor plan 1:250

MAXIME DELVAUX

East elevation

Section C 1:250

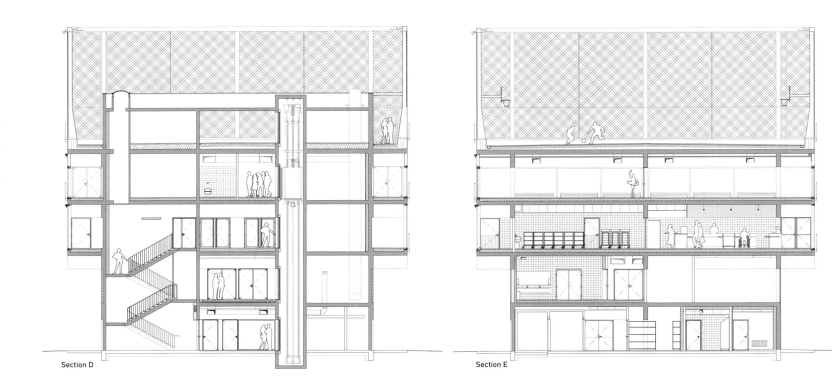

Section D

Section E

Third floor plan 1:250

MAXIME DELVAUX

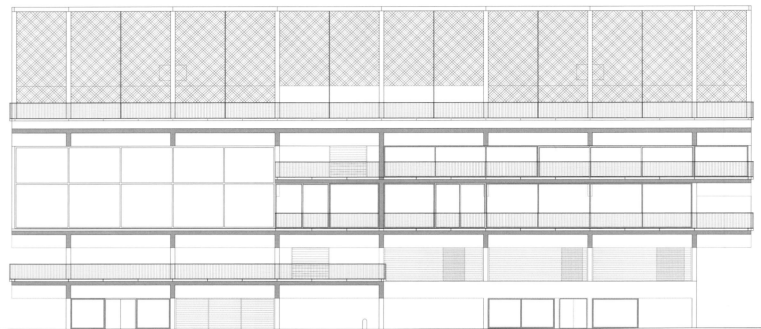

North elevation

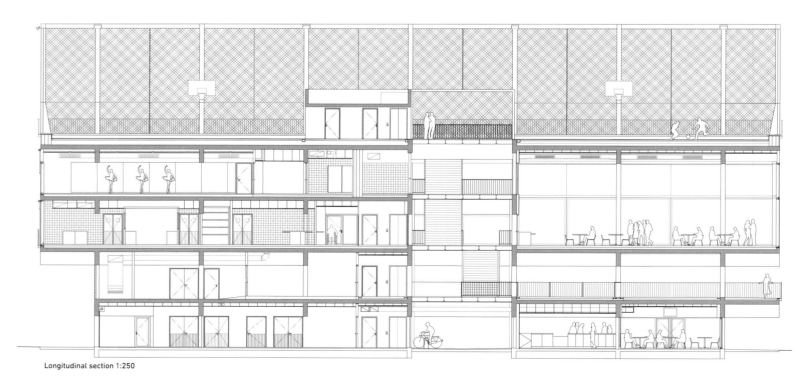

Longitudinal section 1:250

MAXIME DELVAUX

A Building is not a Butterfly: Culture and Complexity

ALFREDO BRILLEMBOURG
HUBERT KLUMPNER
ALEXIS KALAGAS
DIEGO CERESUELA

In *A City is Not a Tree*, the architect and theorist, Christopher Alexander, argued for a necessary distinction between 'natural' and 'artificial' cities[1]. Despite the metaphorical dissonance, it was the deliberately-designed artificial (read Modernist) city that Alexander saw as evoking the diagrammatic tree of the title —a hierarchical, deterministic structure dreamt up to contain and separate the messy interrelations of human social experience. Reacting to the post-war rush towards functionalist planning, Alexander's 1965 essay was, at heart, an early paean to the complexity of urban life. In the narrower realm of architecture, Robert Venturi famously staked out similar territory the following year.[2] Amid a discourse now dominated by smart cities and the inviolability of the algorithm, however, it has become almost banal to describe cities through the hijacked vocabulary of complex adaptive systems: dynamic, chaotic, self organizing, and emergent.

En *Una ciudad no es un árbol*, el arquitecto y teórico, Christopher Alexander, abogó por una necesaria distinción entre ciudades "naturales" y "artificiales"[1]. A pesar de la disonancia metafórica, se trataba de la ciudad diseñada deliberadamente y artificial (léase Moderna), que Alexander comparaba con el árbol diagramático del título —una estructura jerárquica y determinista que anhelaba contener y separar las desordenadas interrelaciones de la experiencia social humana. Como reacción a la carrera de posguerra hacia una planificación funcionalista, el ensayo de Alexander de 1965 fue, en el fondo, un prematuro himno de alegría a la complejidad de la vida urbana. En el ámbito más preciso de la arquitectura, Robert Venturi, como es sabido, apostó por un territorio similar al año siguiente.[2] En medio de un discurso dominado ahora por las ciudades inteligentes y la inviolabilidad del algoritmo, se ha vuelto casi banal, sin embargo, describir las ciudades a través del vocabulario secuestrado por los sistemas adaptativos complejos: dinámicos, caóticos, auto-organizados y emergentes.

FÁBRICA DE CULTURA: GROTAO
Urban-Think Tank
São Paulo, Brazil
2009-2017

But from the hilltop barrios of Caracas, to the sprawling townships of Cape Town, we have seen this condition in its hyper phase. The informal city in particular is a city in a state of constant flux—expanding, reproducing, and generating new uses. Faced with this reality, the real question for contemporary architects is not how we should understand urban complexity in an abstract sense; rather, how can we best design in anticipation of an unknowable future (the 'known unknowns' of Donald Rumsfeld's tortuous formulation)? 'Designing for complexity' means engaging at two levels. On one hand, it raises important questions about the longevity of any single built structure in a context of rapidly shifting use and ever changing needs. And on the other, like the 'butterfly effect' first described by the meteorologist, Edward Lorenz, in 1963, it reminds us that interventions in an urban system can have outsized impacts[3].

Pero desde los barrios altos de Caracas, hasta los extensos municipios de Ciudad del Cabo, hemos observado esta condición en su hiper-fase. La ciudad informal, en particular, es una ciudad en flujo constante, que se expande, reproduce y genera nuevos usos. Frente a esta realidad, la verdadera cuestión para los arquitectos contemporáneos no es cómo debemos entender la complejidad urbana en un sentido abstracto. Más bien, ¿cómo podemos diseñar mejor en previsión de un futuro desconocido (los *known unknowns* de la enrevesada formulación de Donald Rumsfeld)? "Diseñar para la complejidad" significa involucrarse en dos niveles. Por un lado, plantea importantes cuestiones acerca de la longevidad de cualquier estructura construida en un contexto de uso cambiante y necesidades cambiantes. Y, por otro lado, cómo el "efecto mariposa" descrito por el meteorólogo Edward Lorenz en 1963, nos recuerda que las intervenciones en un sistema urbano pueden tener impactos desmesurados[3].

1. Christopher Alexander, 'A City is Not a Tree' (1965) 122 *Architectural Forum* 58.

2. Robert Venturi, *Complexity and Contradiction in Architecture* (1966).

3. Edward N Lorenz, 'Deterministic Nonperiodic Flow' (1963) 20 *Journal of the Atmospheric Sciences* 130.

The real question for contemporary architects is not how we should understand urban complexity in an abstract sense; rather, how can we best design in anticipation of an unknowable future.

La verdadera cuestión para los arquitectos contemporáneos no es cómo debemos entender la complejidad urbana en un sentido abstracto, sino cómo podemos diseñar mejor para prever un futuro incognoscible.

Our 'Fábrica de Cultura' projects in São Paulo, Brazil, and Barranquilla, Colombia, are linked by a focus on the importance of social infrastructure for underserved communities riven by conflict and insecurity. But each deals with questions of complexity in different ways. Developed by Urban-Think Tank in collaboration with an international network of partners, Fábrica de Cultura: BAQ will provide a new home for teaching creative arts in Barranquilla, while extending access to cultural education to residents of the impoverished Barrio Abajo. The low-cost design, which utilizes local materials and processes of prefabrication, adopts open building principles to establish a framework that can be modified and reprogrammed by users over time. We have prioritized open, versatile spaces that not only respond to a fluid mode of development, but also constitute a flexible and sustainable building prototype that can be replicated throughout the region. Looking beyond complexity at the structural level, our vision in São Paulo is for the project to act as a powerful catalyst for future development. Located on an inaccessible void within the dense fabric of the favela Paraisópolis, which had been cleared of homes after a severe mud slide, the design reimagines the precarious site as a productive and dynamic community hub. The complex centres on a music and dance school in the lower zone, which stacks diverse programs like an auditorium, rehearsal spaces, studios, and classrooms. Equally important is a new terraced landscaping scheme, which in addition to stabilizing the unpredictable terrain and preventing further erosion, will transform Grotão into a natural arena, re-establishing connections through the building to the wider neighbourhood. That is, a model of urban acupuncture understood both socially and spatially –transformative cultural programs seeding physical change.

Nuestros proyectos de 'Fábrica de Cultura' en São Paulo, Brasil, y Barranquilla, Colombia, están vinculados por la importancia que tiene la infraestructura social para las comunidades marginadas por el conflicto y la inseguridad. Pero cada uno trata las cuestiones de complejidad de diferentes maneras. Desarrollados por Urban-Think Tank en colaboración con una red internacional de socios, Fábrica de Cultura: BAQ proporcionará un nuevo hogar para la enseñanza de las artes creativas en Barranquilla y ampliará el acceso a la educación cultural a los residentes del empobrecido Barrio Abajo. El diseño de bajo costo, que utiliza materiales y procesos de prefabricación locales, adopta principios de construcción abiertos para establecer un marco que puede ser modificado y reprogramado por los usuarios a lo largo del tiempo. Hemos priorizado espacios abiertos y versátiles, que no sólo responden a un modo fluido de desarrollo, sino que también constituyen un prototipo de construcción flexible y sostenible que puede ser replicado en toda la región.

Mirando más allá de la complejidad a nivel estructural, nuestra visión en São Paulo es que el proyecto actúe como un poderoso catalizador para el desarrollo futuro. Ubicado en un vacío inaccesible dentro de la densa estructura de la *favela* Paraisópolis, que había sido arrasada en parte por un fuerte deslizamiento de tierra, el diseño reimagina el precario sitio como un centro comunitario productivo y dinámico. El complejo se centra en una escuela de música y danza en la zona baja, que apila diversos programas como un auditorio, espacios de ensayo, estudios y aulas. Igualmente importante es el nuevo diseño de paisajismo en terrazas que, además de estabilizar este terreno impredecible e impedir una mayor erosión, transformará a Grotão en una sala natural de espectáculos, restableciendo las conexiones a través del edificio con un vecindario más amplio. Es decir, un modelo de acupuntura urbana entendida tanto social como espacialmente. Programas culturales transformadores que siembran el cambio físico.

DANIEL SCHWARTZ/U-TT

A community hip-hop dance class underway in a sports facility in Barrio La Paz, Barranquilla, in 2015.
Una clase comunitaria de hip-hop en un centro deportivo en Barrio La Paz, Barranquilla, en 2015.

Designing for complexity means embracing an architecture of adaptation. It means thinking of those who will inhabit a building as producers, not users. We see both Fábrica de Cultura projects as forms of integrated infrastructure. They will offer facilities for cultural education, but more importantly new forms of enhanced public space that can be appropriated by —and simultaneously strengthen— communities. Designing for complexity also means embracing non-linear forms of project development and implementation. The new architecture is not just top-down or bottom-up, but is instead produced through an improvised, adaptive process in itself, which morphs and reacts in real time according to a complex web of needs, resources, and expectations. In Barranquilla and São Paulo, this has involved forging cross-cutting partnerships between international and regional organizations, national governments, municipalities, and individual communities, to create new hybrid project constituencies.

Diseñar para la complejidad significa abrazar una arquitectura de adaptación. Significa pensar en quienes habitarán un edificio como productores, no como usuarios. Vemos los dos proyectos de Fábrica de Cultura como formas de infraestructura integrada. Ofrecerán equipamientos para la educación cultural, pero más importante aún, nuevas formas de espacio público mejorado, que puedan ser apropiadas por las comunidades y fortalecerlas. Diseñar para la complejidad también significa abarcar formas no lineales de desarrollo e implementación de proyectos. La nueva arquitectura no es sólo de arriba hacia abajo o de abajo hacia arriba, sino que se produce a través de un proceso improvisado y adaptativo en sí mismo, que se transforma y reacciona en tiempo real, de acuerdo con una compleja red de necesidades, recursos y expectativas. En Barranquilla y São Paulo, esto ha implicado forjar asociaciones transversales entre organizaciones internacionales y regionales, gobiernos nacionales, municipios y comunidades individuales, para crear nuevos grupos de proyecto híbridos.

FÁBRICA DE CULTURA: BAQ
Urban-Think Tank

Barranquilla (Colombia),
2013-2017

PROGRAMME
Popular Art School

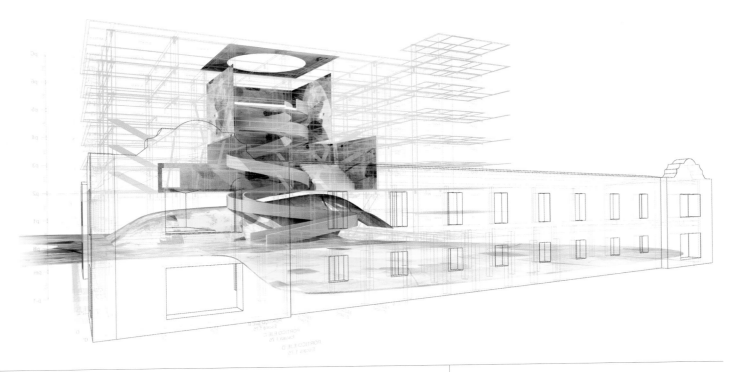

Ultimately, it is no accident that we have named these projects 'culture factories'. Culture and the arts represent far more than an aesthetic encounter. Indeed, culture is the collective lived experience reflecting the social reality of a place, and cultural knowledge is at the heart of urban adaptation and transformation[4]. Returning to the 1960s, it was Jane Jacobs who once suggested that a 'city cannot be a work of art'[5]. By its very nature, art implies control, curation, symbolism, and abstraction. The city can better be viewed as one giant culture factory, which constructs and reconstructs itself in countless ways. The built environment is often demonstrative, giving expression to powerful forces that seek to project highly specific forms of cultural aspiration. But it should also be read as an evolving and complex cultural artefact —the sum of millions of lives stepping simultaneously into an unknown future.

Por último, no es casualidad que hayamos denominado a estos proyectos "fábricas de cultura". La cultura y las artes representan mucho más que un encuentro estético. De hecho, la cultura es la experiencia vivida y colectiva, que refleja la realidad social de un lugar y el conocimiento cultural está en el centro de la adaptación y la transformación urbanas[4]. Volviendo a la década de 1960, fue Jane Jacobs quien una vez sugirió que una "ciudad no puede ser una obra de arte"[5]. Por su propia naturaleza, el arte implica control, comisariado, simbolismo y abstracción. La ciudad puede ser entendida de mejor manera como una gran fábrica de cultura, que se construye y se reconstruye de innumerables maneras. El entorno construido es a menudo demostrativo de la expresión de poderosas fuerzas que buscan proyectar formas muy específicas de aspiración cultural. Pero también debe leerse como un artefacto cultural evolutivo y complejo: la suma de millones de vidas que caminan juntas hacia un futuro desconocido.

4. Charles Landry, *The Creative City: A Toolkit for Urban Innovators*. Earthscan, 2000.

5. Jane Jacobs, *The Death and Life of Great American Cities*. Modern Library Edition, 1993. p. 485.

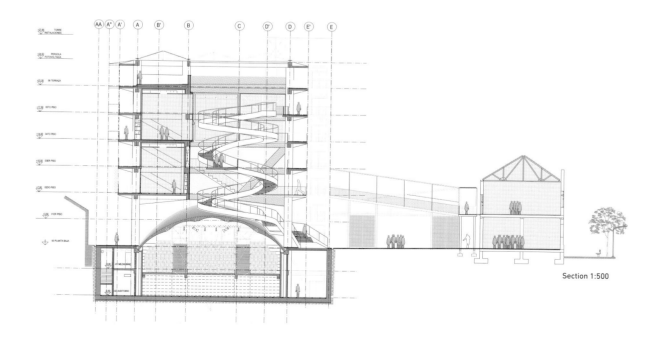

Section 1:500

FÁBRICA DE CULTURA: GROTÃO

Urban-Think Tank

São Paulo, Brazil
2009-2017

PROGRAMME
Music and Dance School

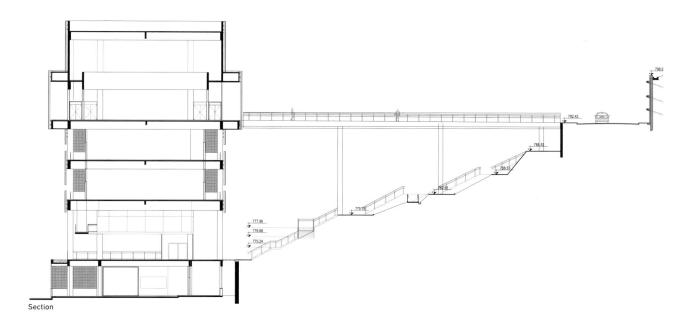

Section

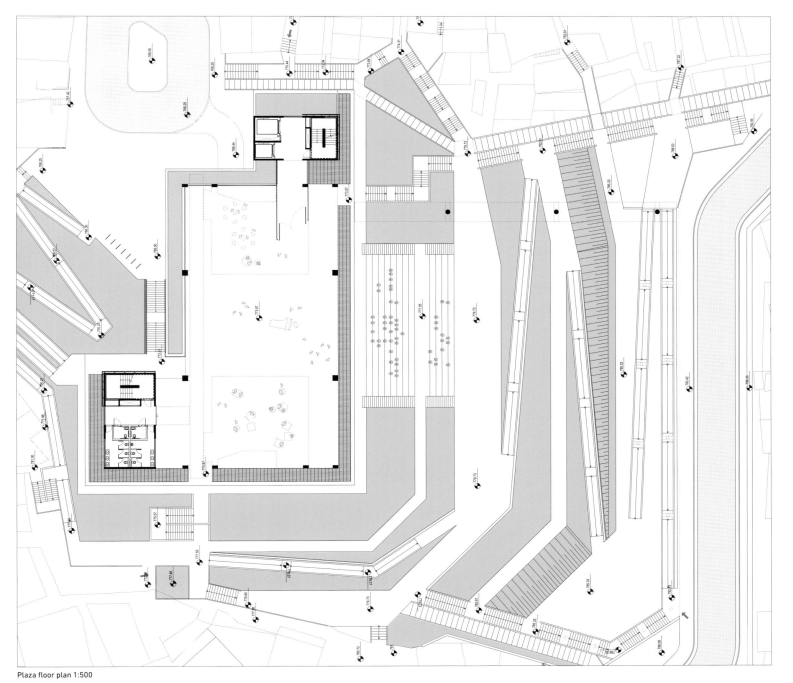

Plaza floor plan 1:500

Challenging the one-function

PARK AND PLAY
JAJA Architects
Copenhagen (Denmark)
2014 - 2016

PROGRAMME
Green facade and
activity landscape on the
roof of a car park

Parking houses should be an integral part of the city. But how can we challenge the monofunctional use of the conventional parking house? How do we create a functional parking structure, which is also an attractive public space? And how do we create a large parking house that respects the scale, history and future urban culture of the new development area Nordhavn in Copenhagen?

The starting point for the competition project was a conventional parking house structure. The task was to create an attractive green facade and a concept that would encourage people to use the rooftop.

Instead of concealing the parking structure, we propose a concept that enhances the beauty of the structural grid while breaking up the scale of the massive facade. A system of plant boxes is placed in a rhythm relating to the grid, which introduces a new scale while also distributing the greenery across the entire facade. The grid of plant boxes on the facade is then penetrated by two large public stairs, which have a continuous railing that becomes a playground on the rooftop. From being a mere railing it transforms to become swings, ball cages, jungle gyms and more. From street level, the railing literally takes the visitors by the hand; inviting them on a trip to the rooftop landscape and an amazing view of the Copenhagen Harbour.

Los estacionamientos de vehículos deberían ser una parte integral de la ciudad. Pero ¿cómo podemos desafiar ese uso monofuncional que es un estacionamiento convencional de vehículos? ¿Cómo creamos un aparcamiento funcional, que también sea un espacio público atractivo? ¿Y cómo creamos un gran estacionamiento que respete la escala, la historia y la futura cultura urbana de la nueva zona de desarrollo de Nordhavn, en Copenhague? El pliego de condiciones del concurso sugería una estructura convencional de aparcamiento. Sin embargo, la tarea era crear una fachada verde atractiva y una idea que animara a la gente a utilizar la cubierta. En lugar de ocultar la estructura del estacionamiento, proponemos un concepto que realce la belleza de la trama estructural y al mismo tiempo rompa la escala de la fachada masiva. Colocamos un sistema de jardineras con plantas, según un ritmo que se relaciona con la estructura, al mismo tiempo que se introduce una nueva escala y se distribuye vegetación a través de toda la fachada.

La retícula de las jardineras con plantas de la fachada está atravesada por dos grandes escaleras públicas, con una barandilla continua, que se convierte en un patio de juegos al llegar a la cubierta. De ser una simple barandilla se transforma en columpios, jaulas para juegos, gimnasio y mucho más. Desde el nivel de la calle, la barandilla toma literalmente a los visitantes de la mano y los invita a un viaje por el paisaje de la azotea y la asombrosa vista que hay sobre el puerto de Copenhague.

RASMUS HJORTSHØJ - COAST

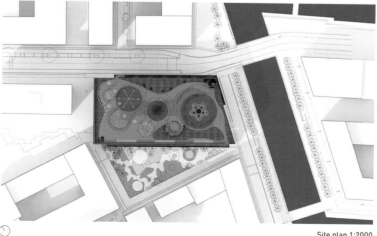

Site plan 1:2000

Roof plan

RASMUS HJORTSHØJ – COAST

RASMUS HJORTSHØJ – COAST

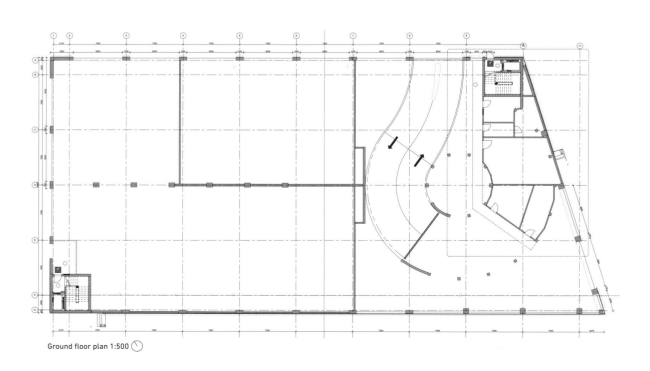

Ground floor plan 1:500

RASMUS HJORTSHØJ - COAST

RASMUS HJORTSHØJ – COAST

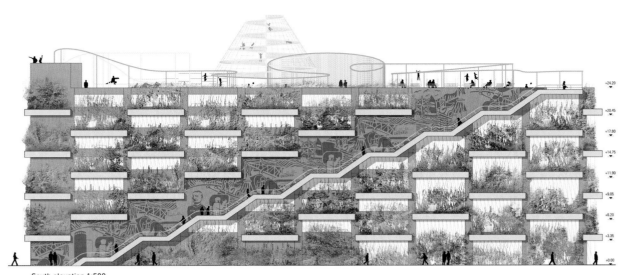

South elevation 1:500

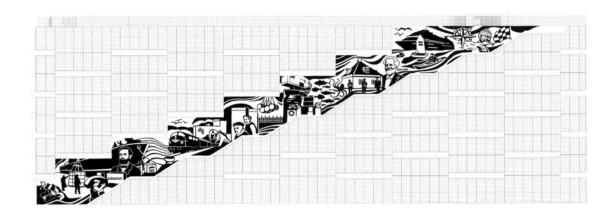

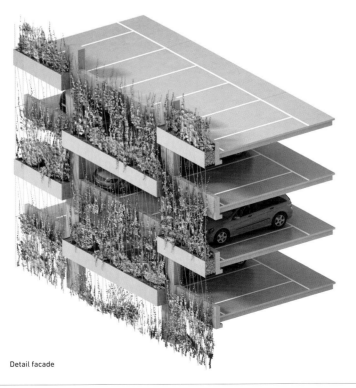

Detail facade

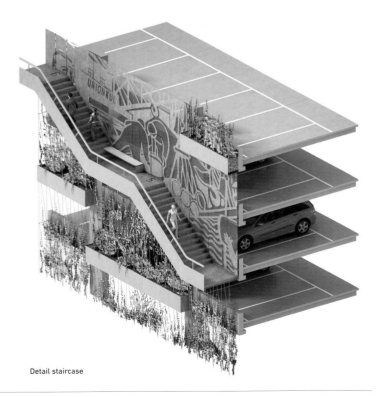

Detail staircase

LINKERS

The Complexity of Continuous Presence

AURORA FERNÁNDEZ PER

The linker-interiors are not a continuous whole but rather a complex whole produced from a continuous presence, from liberated interiors with positive relationships.

Los interiores-eslabón no son un todo continuo, son un todo complejo fabricado a partir de presencias continuas, de interiores liberados y felizmente relacionados.

The complexity of continuous presence is manifested in those interiors where space flows through the floor plan or through the section, independent of the programme. This continuity, which implies a permanent presence of the other, confronts two or more simultaneously present uses. The volition for spatial fluidity prevails and forces the uses to accept the other, which may give rise to a potential contradiction.

The most common example of this complexity is the coexistence of circulations and living spaces. This can often be seen on a small scale in those domestic spaces which aim to create a better relationship between the different rooms or a circumstantial layout.

Yet this explanation does not justify how linker-interiors are regarded. They are not merely connected rooms, nor are they spaces to be crossed. Indeed, they are really interiors which aim to subvert the chronological narrative and to establish their own tempo. They entail the options on offer, as a result of the floor plan and the section, which reveal their existence, and which decide to remain and to either start a dialogue or to provoke contradictions.

To illustrate this type of interiors, it would be impossible not to mention Sir John Soane's Museum, and any observations might serve as helpful insights to those having visited the house. If any one interior has been able to collapse time and space, it is this Lincoln's Inn Fields

La complexidad de la presencia continua se manifiesta en aquellos interiores en los que el espacio fluye a través de la planta, o a través de la sección, de manera independiente al programa. Esta condición de continuidad, que conlleva una presencia permanente del otro, enfrenta dos o más usos que se desarrollan de manera simultánea. La voluntad de fluidez espacial predomina y fuerza la aceptación entre usos, lo que conlleva a una posible contradicción.

El ejemplo más común de esta complejidad es la convivencia de circulaciones con espacios de estancia, aunque también se manifiesta a pequeña escala en los espacios domésticos que buscan una mayor relación entre las distintas habitaciones, o una organización circunstancial.

Pero esta explicación no justifica la mirada hacia los interiores-eslabón. No son meras estancias conectadas, no son espacios que se atraviesan, son interiores que intentar subvertir la narración cronológica y establecer su propio *tempo*. Son posibilidades del plano y la sección que se desvelan y deciden mantenerse presentes, entrando en diálogo o provocando contradicciones.

Para ilustrar este linaje de interiores, el ejemplo del Museo de Sir John Soane es ineludible, a la vez que esclarecedor para cualquiera que lo haya visitado. Si algún interior ha sido capaz de colapsar tiempo y espacio, ha sido la mansión de Lincoln's Inn Fields, no sólo por el hecho

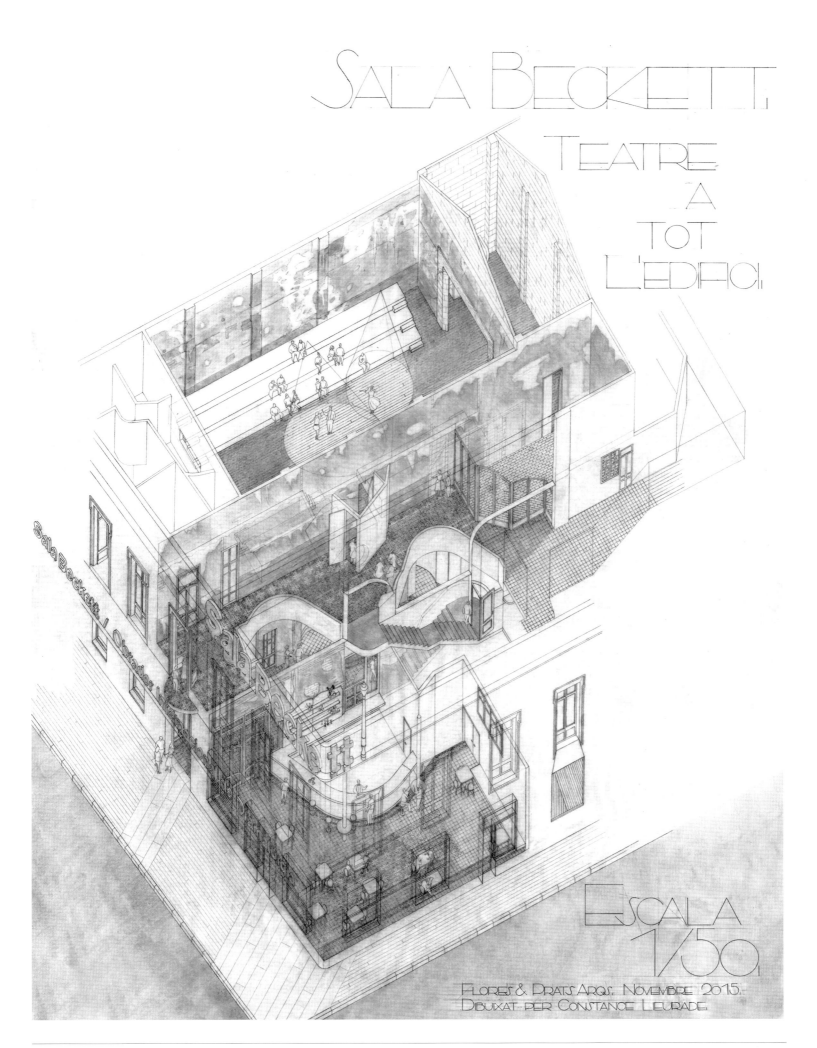

SALA BECKETT.
TEATRE A TOT L'EDIFICI.

ESCALA 1/50.

FLORES & PRATS ARQS. NOVEMBRE 2015.
DIBUIXAT PER CONSTANCE LIEURADE.

Soane Museum London, 1794-1824. Sir John Soane

SOANE.ORG

Sir John Soane bought the first property of Lincoln's Inn Fields, house number 12, in 1792, to which he added number 13 in 1807 and number 14 in 1824. From the beginning, his objective was to gather in this group of buildings both his home, as his office of architecture and his collection of objects, with a didactic will. The demolition and construction works that Soane executed during more than 30 years, resulted in this interior full of complexity in which each function and each object have found their space. Since 2009, the institution has initiated a series of reforms and refurbishments aimed at rebuilding some spaces as they were originally, as well as to enable new exhibition areas. From 2013 to 2016 Julian Harrap Architects performed the tasks of restoring materials, while Caruso St John Architects designed in 2012 a new showroom and a sales space.

Sir John Soane compró la primera propiedad de Lincoln's Inn Fields, la casa número 12, en 1792, a la que añadió la numero 13 en 1807 y la número 14 en 1824. Desde el inicio, su objetivo fue reunir en este conjunto de edificios tanto su vivienda, como su oficina de arquitectura y su colección de objetos, con una voluntad didáctica. Las obras de derribo y construcción que Soane ejecutó durante más de 30 años, dieron como resultado este interior lleno de complejidad en el que cada función y cada objeto han encontrado su acomodo. A partir de 2009, la institución inició una serie de reformas y rehabilitaciones encaminadas a reconstruir algunos espacios tal como fueron originalmente, así como a habilitar nuevas áreas de exposición. Desde 2013 a 2016 Julian Harrap Architects realizó las tareas de restitución de materiales, mientras que Caruso St John Architects diseñaron en 2012 una nueva sala de exposición y un espacio de venta.

Sir John Soane. Soane Museum, 1794-1824. Section through the Dome and the Breakfast Room, looking east. Glazed doors connect the two scenes. Through the window is the Monument Court with the Study window beyond.
Drawn by Frank Copland, 1871.
Sección a través de la Cúpula y la Sala de Desayuno, mirando hacia el este. Unas puertas acristaladas conectan las dos escenas. A través de la ventana se ve el Patio del Monumento con la ventana del Estudio al fondo.
Dibujado por Frank Copland, 1871.

mansion. Not only due to the fact that the presence of the rooms remain constant but also because the former rooms remain present, converting what once was into an architecture which still is, and finally bringing together not only his collection of objects, but also other presences, other times. How better to accept complexity than to permit the leisurely view of the visitor as time flows freely –or stops– in space?

Bearing witness to how Soane connects Monk's Yard with Monument Court through his comfortable Study –fitting both between iron bars as a would-be scar– is irrefutable proof that this space, this continuous presence, is a series of ruptures, a succession of subtractions which organize the separate parts and create a whole.

The linker-interiors are not as such a continuous whole but rather a complex whole produced from a continuous presence, from liberated interiors with positive relationships.

de mantener continuas las presencias de sus estancias, también por mantener las presencias de lo anterior, de convertir lo que una vez fue en una arquitectura que sigue siendo y, finalmente, por concitar mediante su colección de objetos, otras presencias y otros tiempos ¿Qué mejor manera de aceptar la complejidad que permitir la mirada vagabunda del visitante mientras el tiempo discurre libremente –o se detiene– en el espacio?

Ser testigo de cómo Soane conecta el inquietante Patio del Monje con el Patio del Monumento, a través de su confortable Estudio –mediando entre ambos unos barrotes de hierro a modo de cicatriz–, es la prueba irrefutable de que este espacio esta continua presencia es una suma de rupturas, una sucesión de sustracciones que organizan las partes y componen un todo.

Los interiores-eslabón, por tanto, no son un todo continuo, son un todo complejo fabricado a partir de presencias continuas, de interiores liberados y felizmente relacionados.

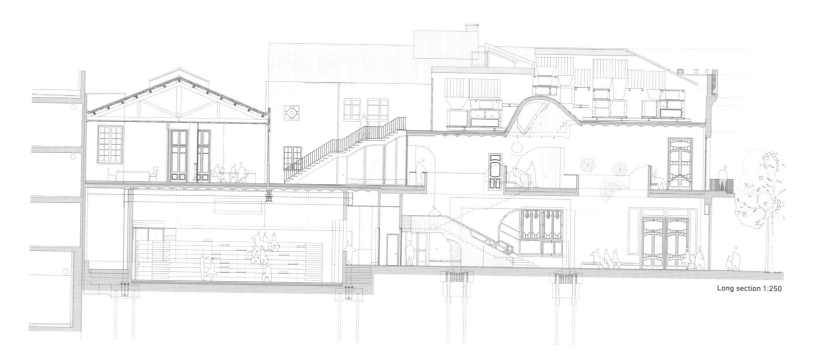

Long section 1:250

Sala Beckett
(Impossible not to Recall the Soane Museum)

RICARDO FLORES, EVA PRATS

**SALA BECKETT /
INTERNATIONAL
DRAMA CENTRE**
Flores & Prats Archs
Barcelona (Spain), 2011-2016

PROGRAMME
Theatre
Exhibition spaces,
Classrooms
Bar-restaurant

This is a story about the continuity of a building which we first found in ruins and wanted to connect with its beginnings, a 1920s workers' cooperative, the *Cooperativa Paz y Justicia* (Peace and Justice Cooperative) connecting this with the years of abandon prior to its subsequent conversion to the new Sala Beckett. All these episodes in the building's history have been brought together such that the final building houses the cooperative, the derelict period and the new theatre programme. It is impossible not to recall Sir John Soane's Museum in London where the periods of the different houses and objects accumulate to create timelessness, where it is difficult to define a specific period in time. Soane designed the new programme for a home, a studio and an archive for his *objets d'art* by linking different properties, three adjoining houses in Lincoln's Inn Fields, to create a new place where it would be impossible to notice the boundaries

Esta es una historia sobre la continuidad de un edificio que encontramos en ruinas y quisimos conectar con sus inicios, una cooperativa obrera de los años 20, la Cooperativa Paz y Justicia, conectándola con sus años de abandono, para después convertirse en la nueva Sala Beckett. Todos estos episodios del edificio los hemos dibujado a la vez, para que el edificio final contenga la cooperativa, contenga la etapa de abandono, y contenga el nuevo programa teatral. Imposible no recordar la Casa Museo de Sir John Soane en Londres, donde los tiempos de las diferentes casas y objetos que va acumulando la convierten en un lugar atemporal, que hace difícil decir a qué época pertenece. Soane dibuja el nuevo programa de casa, estudio y archivo de objetos de arte conectando diferentes propiedades, tres casas consecutivas en Lincoln's Inn Fields, consiguiendo un lugar nuevo que no permite distinguir los límites entre una casa y otra. La antigua Cooperativa de Barcelona también tenía

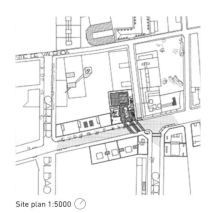

Site plan 1:5000 ⊘

ADRIÀ GOULA

Existing building

TIME IN ARCHITECTURE

"The question of how time could be introduced into architecture itself, rather than merely as the experience of our response to architecture, remained unanswered."

"La pregunta de cómo el tiempo podría ser introducido en la propia arquitectura, y no meramente como la experiencia de nuestra respuesta a la arquitectura, sigue sin respuesta."

PETER EISENMAN.
Eisenman Inside Out: Selected Writings, 1963-1988. Yale University press, 2004.
p 229.

between the different houses. The former Barcelona Cooperative also had three differentiated areas –the shop, the social area and the infant's school– which all functioned independently. With the arrival of the new Sala Beckett, a drama centre combining education, creation and theatre performance, all the separate parts had to function as one at the same time. We made the boundaries between the spaces denser and the circulation and transition areas more intense: stairs behind stairs, in duplicate spaces mirroring each other, secret circulation elements and dual entrances with seen/ unseen doors multiplying the possibility of routes through spaces which, rather than define boundaries, start and end as the next step; an evolving architecture, where linked spaces propose a physical narrative based on a mind map. With this in mind, we tore down walls and ceilings and put up oversized stairs to link, using their voids, spaces previously unconnected. The punctured walls and ceilings were left exposed, as signs of the work and to link past periods to the present. The traces of the work connected the former ruins and the unfinished state meant the former state could be connected such that both seamlessly coexist.

Wandering around the Sala Beckett or the Soane Museum, with their intense layers and veils of walls and lights which accumulate and serve to make the path denser, is to walk through a woven mesh of the many lives lived in these places. Colours and traces of the different periods give each room a new atmosphere which never ceases to change and permits us to believe that each atmosphere expects a different action to the previous room. These are buildings which have accumulated both time and memory and as we enter, we feel a sensation of suspended time, of distance, however physically close we actually are to them.

tres zonas diferenciadas –el colmado, la zona social y la escuela para niños-, que funcionaban de manera independiente. Al llegar la nueva Sala Beckett, un centro de dramaturgia donde conviven la formación, la creación y la exhibición teatral, todas las partes debían funcionar como una sola, a la vez. Densificamos los límites entre espacios, intensificando circulaciones y transiciones: escaleras detrás de escaleras, en espacios duplicados que son espejo uno del otro, circulaciones secretas y dobles entradas con puertas que se ven y otras que no se ven, multiplican la posibilidad de recorridos a través de espacios que no definen sus límites sino que su borde ya es el siguiente, una arquitectura del devenir, de espacios encadenados que proponen una narración física a través de un recorrido mental. Para ello, rompimos muros y techos incorporando escalas gigantescas que unieran, con sus vacíos, espacios que antes no se comunicaban. Los muros y techos agujereados quedaron a la vista, evidenciando las acciones sobre ellos y sumando su tiempo antiguo al actual. Las huellas de la obra se juntaron a las ruinas anteriores, su condición de inacabado permitió conectarlas y hacerlas convivir con naturalidad.

Moverse por la nueva Sala Beckett o el Museo Soane, con su intensidad de capas y velos, de muros y luces que se acumulan y densifican el camino a través suyo, es pasar por un entretejido de numerosas vidas que han habitado esos lugares. Colores y trazas de tiempos distintos dan a cada habitación una atmósfera nueva, diferente cada vez, permitiéndonos imaginar que cada una de ellas espera una acción distinta de la sala anterior. Son edificios que acumulan tiempo y memoria, y que al entrar nos provocan la sensación de un tiempo suspendido, de lejanía, por más cerca de ellos que podamos estar.

ADRIA GOULA

Section through vestibule

Section through lightwell

Section through rehearsal room and bar 1:250

CARRER BATISTA

Section looking towards Pere IV St.

CARRER PERE IV

Section through two exhibition spaces

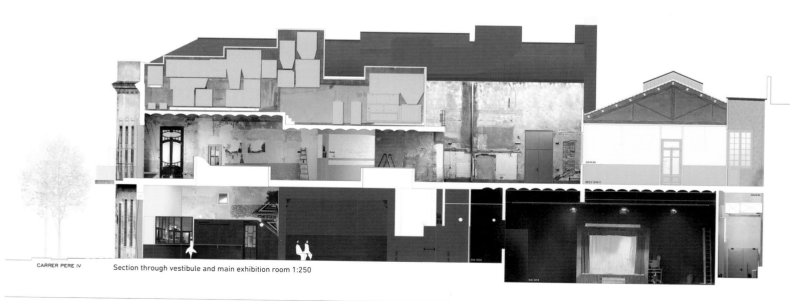

CARRER PERE IV

Section through vestibule and main exhibition room 1:250

ADRIA GOULA.

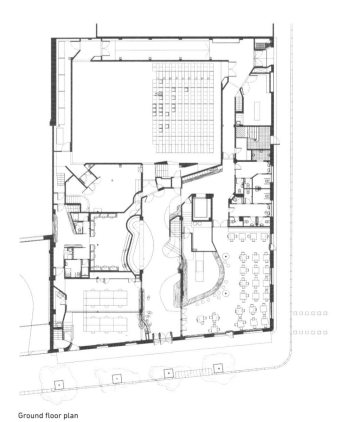

Ground floor plan

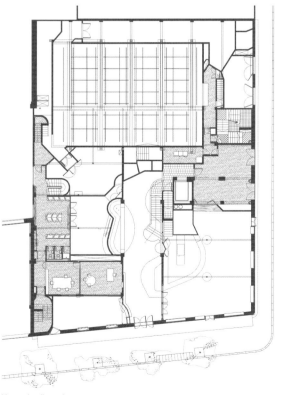

Mezzanine floor plan

ADRIÀ GOULA.

First floor plan

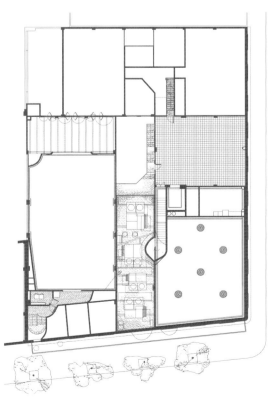

Second floor plan 1:500

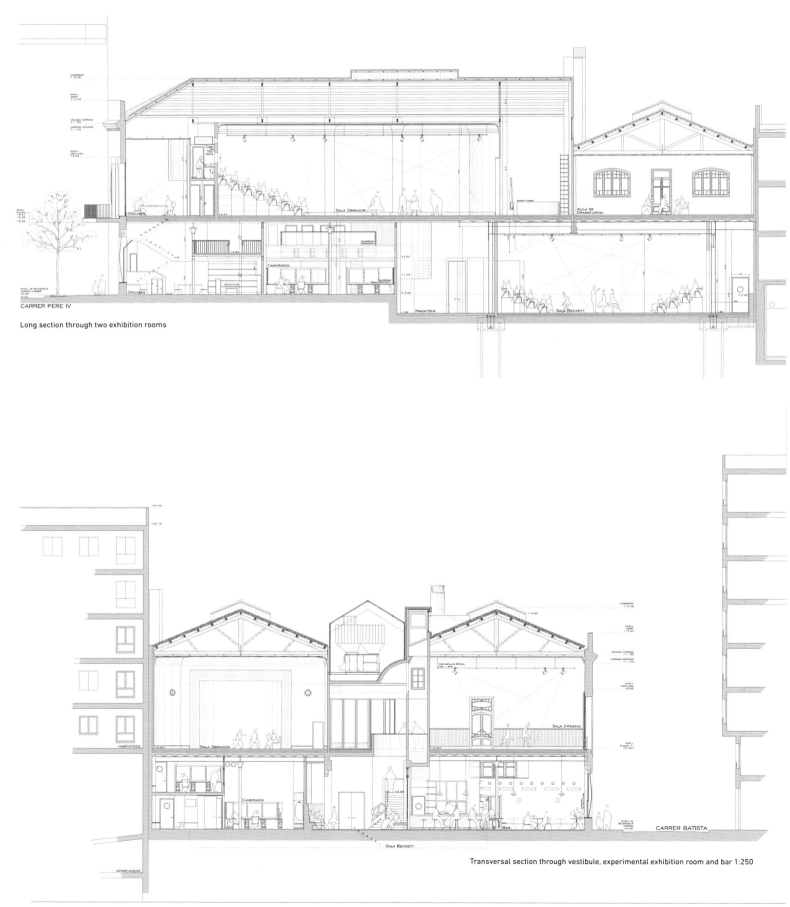

Long section through two exhibition rooms

Transversal section through vestibule, experimental exhibition room and bar 1:250

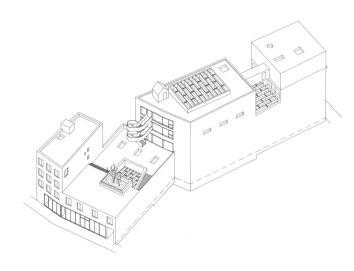

Dirty White Cube

MAD BRUSSELS
V+, Rotor
Brussels (Belgium), 2010-2016

PROGRAMME
Housing
Exhibition spaces
Classrooms
Workshop
Offices

Starting from the observation that a new construction would not significantly improve the response to the program, it is decided to keep all the buildings, with all their incongruities. Built over a period of sixty years, they were never conceived as a whole. The project is thus a "ready-made": by targeted demolitions and the addition of some architectural elements, the irrational and low-permeability spaces of existing buildings are upgraded. The intention of V+, in association with Rotor, is not to clearly distinguish the new from the old one. Instead, they are based on a rich catalogue of different spatialities, which an entirely new project would not offer. The reflection on the finishes extends this concept: the chosen "white" palette confers a unity to the whole, giving it almost the status of a scale model. On the other hand, it hinders the relationship to the white cube, interrogating it by a grammar of varied materials. A project imbued with realism, with a certain didactic that winds from one end of the plot to the other, in the middle of its two large windows. Between the lines, a provocation against the standards of architecture and fashion.

Dando por hecho que la nueva construcción no va a mejorar de manera significativa la respuesta al programa, se decidió mantener todos los edificios con todas sus incongruencias. Construidos a lo largo de un período de sesenta años, nunca fueron concebidos como un conjunto. Por tanto, el proyecto se conforma como un "*ready-made*": a través de demoliciones selectivas y la adición de algunos elementos arquitectónicos, los espacios irracionales y poco permeables de los edificios existentes se revalorizan. La intención de V+, en asociación con Rotor, es no distinguir claramente lo nuevo de lo viejo. Mas bien se mezclan en un rico catálogo de espacialidades diferentes, que un proyecto totalmente nuevo no ofrecería. Pensando en los acabados se ha elegido una paleta de "blancos" que da unidad al conjunto, lo que casi le otorga la condición de maqueta a gran escala. Por otra parte, incomoda la relación con el cubo blanco, interrogándolo con una gramática de diversos materiales. Un proyecto lleno de realismo, con una cierta intención didáctica que serpentea desde un extremo al otro de la parcela, en medio de sus dos ventanales. Entre líneas, una provocación a los estándares de la arquitectura y la moda.

TÁBULA RASA

1. At the beginning of the process, in order not to give in to a romantic a priori as to the preservation of the existent, we made a total and partial tabula rasa exercise of the existing structures.

En el inicio del proceso, para no ceder a un a priori romántico sobre la preservación de lo existente, hicimos un ejercicio de tabula rasa total y parcial de las edificaciones existentes.

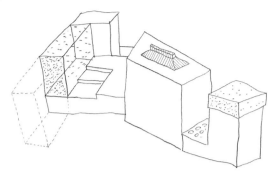

2. Conclusion: The volumetric constraints dictated by the neighbouring templates drastically limit the possible variations. If it comes to demolishing to rebuild to 90% identically, we choose to start from the existing one.

Conclusión: Las restricciones volumétricas impuestas por los edificios vecinos limitan drásticamente las posibles variaciones. Si se trata de demoler para reconstruir el 90% idéntico, elegimos empezar desde lo existente.

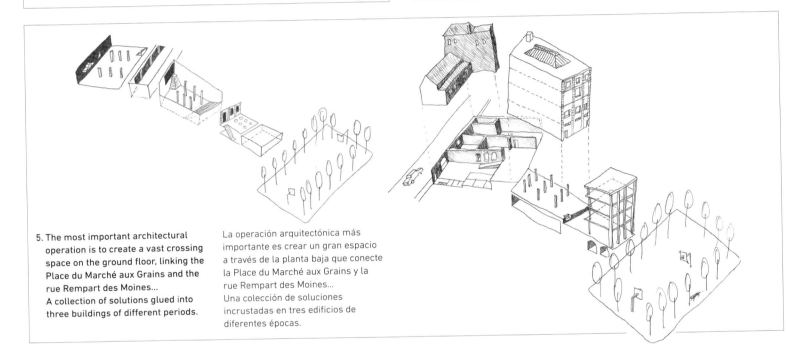

5. The most important architectural operation is to create a vast crossing space on the ground floor, linking the Place du Marché aux Grains and the rue Rempart des Moines...
A collection of solutions glued into three buildings of different periods.

La operación arquitectónica más importante es crear un gran espacio a través de la planta baja que conecte la Place du Marché aux Grains y la rue Rempart des Moines...
Una colección de soluciones incrustadas en tres edificios de diferentes épocas.

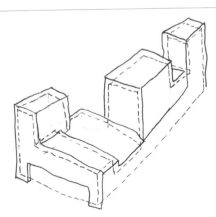

8. We have chosen to have a homogeneous exterior layer for the three buildings. In addition to the installation of thermal insulation throughout the ensemble at the centre, this design creates a continuity between the three buildings while preserving the specificities of their volumetry.

Elegimos un acabado exterior homogéneo para los tres edificios. Además de la instalación del aislamiento térmico en el conjunto central, este acabado crea una continuidad entre los tres edificios, preservando las especificidades de sus volumetrías

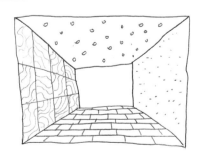

BLANC

9. For the interior, we propose a solution that allows, unlike the outside, a unification of all spaces while cultivating a form of diversity. This unity in diversity is achieved by the covering of all surfaces (floors, walls, ceilings) with white coatings. Often chosen for its neutrality, white is a complex and exciting tint, existing in an infinite range of materials.

Para el interior, ofrecemos una solución que, a diferencia del exterior, unifique todas las áreas, a la vez que cultiva una forma de diversidad. Esta unidad en la diversidad se consigue mediante el recubrimiento de todas las superficies (suelos, paredes, techos) con acabados blancos. Elegido a menudo por su neutralidad, el blanco es un color complejo y fascinante, que existe en una gama infinita de materiales.

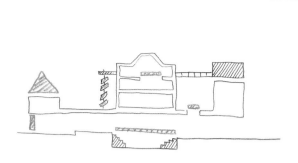

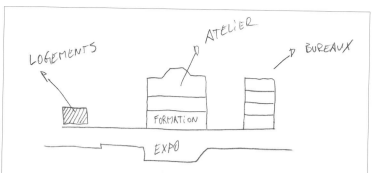

3. The architectural gesture consists of a succession of ingenious interventions aimed at refurbishing the existent. The attitude is resolutely opportunistic, sometimes ironic and globally economical in means.

El gesto arquitectónico consiste en una serie de ingeniosas intervenciones para rehabilitar lo existente. La actitud es decididamente oportunista, a veces irónicas y en general económica en medios.

4. It is a question of exploiting to the maximum the qualities present to integrate the different parts of the program. Overall, housing remains housing, industrial warehouses become multipurpose spaces, the office building is assigned to administrative functions.

Se trata de maximizar las cualidades presentes para integrar las diferentes partes del programa. En general, la vivienda sigue siendo vivienda, las naves industriales se convierten en espacios multiuso y al edificio de oficinas se le asignan funciones administrativas.

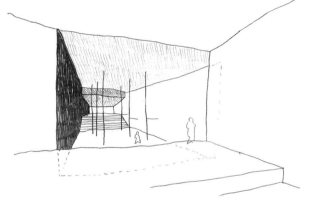

6. In this large crossing, a double height space is created in the central building. A large volume with wild character made by the removal of the existing slab between the ground floor and the cellar.

En esta gran travesía, se crea un espacio de doble altura en el edificio central. Un gran volumen, de carácter incontrolado, fabricado mediante la supresión de la losa existente entre la planta baja y el sótano.

7. Another operation is to remove the sloping roofs placed on the building rue du Rempart des Moines. This volumetric reduction generates both a vast area accessible on the terrace but also frees the views from and towards the central building.

Otra operación es eliminar las cubiertas inclinadas del edificio de la rue Rempart des Moines. Esta reducción volumétrica genera una gran superficie disponible en la terraza y libera también las vistas desde y hacia el edificio principal.

10. ...Three buildings with their qualities and their faults, on a vast crossing public space.

...Tres edificios con sus virtudes y defectos, sobre un gran espacio público de tránsito.

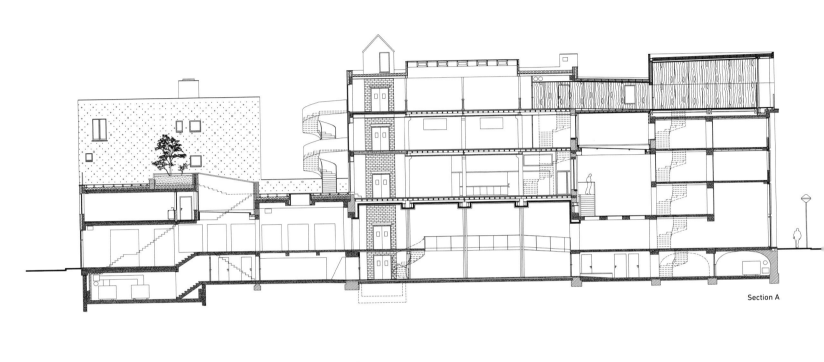

Section A

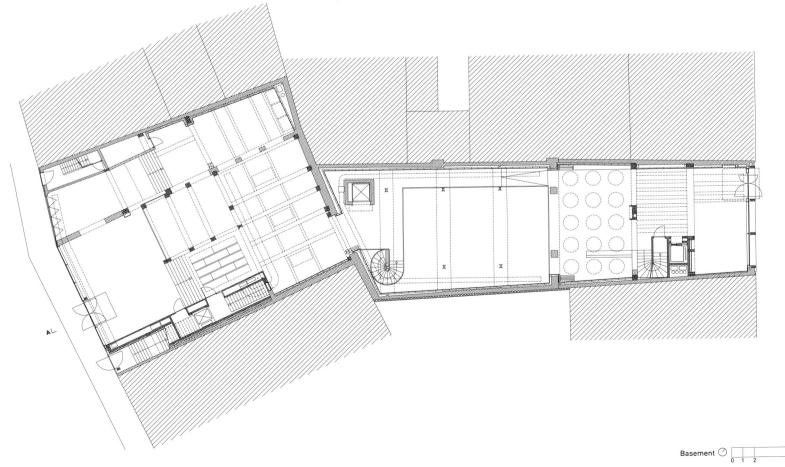

Basement

MAXIME DELVAUX

MAXIME DELVAUX

View from Marché aux Grains

View from rue Rempart des Moines

Hall

Workshops

Gallery

Offices

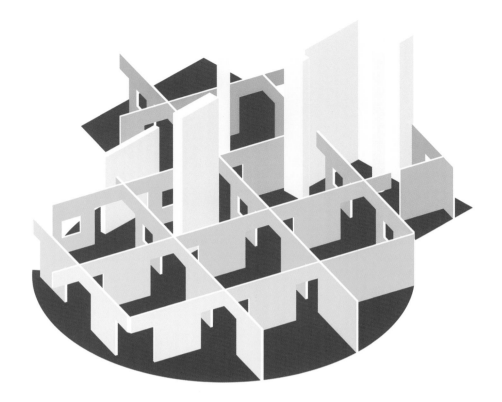

The Construction of the Neutral

MAIO

Maio. Exhibition Display System for *Species of Spaces* at MACBA.

The projects 110 Rooms –a residential building in the Barcelona Ensanche district– and the design of the *Species of Spaces Exhibition (MACBA)* overlap in time. Their programmes, durations and budgets are significantly different yet they share certain common analogies and approaches which enable them to be considered under the same conceptual umbrella. Themes such as the construction of the neutral, reflection on the generic and the "ordinary" or the idea of copying and their relationship with tradition are some of the shared concerns which have permeated the different projects.

Hence the residential building, started in 2013 and built between 2015 and 2016, is a direct result of the analysis and

Los proyectos 110 Rooms –un edificio de viviendas en el Ensanche barcelonés– y el diseño de la exposición *Especies de espacios (MACBA)* se superponen en el tiempo. Sus programas, duración y presupuesto son significativamente distintos, pero sin embargo comparten algunas analogías y enfoques comunes que permiten entenderlos bajo un mismo paraguas conceptual. Temas como la construcción de lo neutro, la reflexión en torno a lo genérico y lo "ordinario" o la idea de copia y su relación con la tradición, son algunas de las preocupaciones compartidas que han ido permeando en los distintos proyectos.

Así, el edificio de viviendas, iniciado en 2013 y construido entre 2015-2016, nace del análisis y la reinterpretación

Maio. 110 Rooms. Collective housing.

reinterpretation of many of the home-grown solutions from the traditional domestic typology of the Barcelona Ensanche district. Here, floor plan types are formalized in accordance with the layout of identical (or almost identical) rooms which were a traditional feature of the room typology of the late 19th Century in the local area and whose formalization led to a wide range of interiors whose use could be altered over the years without them suffering substantial changes in terms of layout; a seemingly rigid typological system which in fact has enabled uses to be altered effortlessly over time.

On the other hand, while it is based on a different approach, the framework for the exhibition *Species of Spaces* is not far

de muchas de las soluciones propias de la tradición tipológica doméstica del Ensanche barcelonés. En éste, las plantas tipo se formalizan siguiendo la distribución de habitaciones iguales (o casi iguales) que tradicionalmente caracterizaron la tipología habitacional de finales del siglo XIX en la zona, y cuya formalización dio como resultado un amplio abanico de interiores que han permitido modificar su uso a lo largo de las décadas, sin sufrir cambios distributivos sustanciales. Un sistema tipológico aparentemente rígido que, sin embargo, ha permitido cambiar sin problemas su uso en el curso del tiempo. Por su parte, aunque partiendo de un planteamiento distinto, el soporte expositivo para la exposición *Especies de Espacios* no es ajeno a esa idea. Allí, de

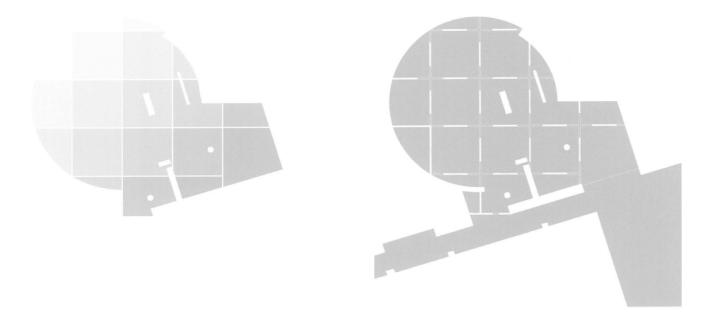

Maio. Exhibition Display System for *Species of Spaces* at MACBA.

removed from this idea. Here, as in the case of the residential building, a grid layout of bedrooms of different sizes enables the series of spatial episodes comprising the Perec-like imagery from the book *Species of Spaces*, the basis for the exhibition curator Frederic Montornés, to be defined and organized. In the case of the exhibition, the grid enables us to respond systematically to the three basic project requirements. Firstly, the need to increase the vertical exhibition space in the gallery, in addition to generating the necessary framework required for, essentially domestic, works of art which had to be integrated into the exhibition medium itself (doors [Dora García, Stanley Brouwn], wardrobes [Robert Gober], curtains [Daniel Steegman], etc.). Secondly, the grid facilitated the compulsory compartmentalization of the exhibition space in accordance with the spatial correlation of the different chapters of Perec's book of the same name ("objects" of increasing scales, from the page to the space). Furthermore, the layout also had to enable the connection between both spaces. Thirdly, to enable different reconfigurations, both of the exhibition itself and of the works, such that the

modo análogo a lo que ocurre en el edificio de viviendas, una retícula de habitaciones de idénticas dimensiones permite definir y organizar la serie de episodios espaciales que conforman el imaginario perequiano del libro *Especies de Espacios*, punto de inicio del comisario de la muestra, Frederic Montornés. En el caso de la exposición, la retícula permitía resolver de un modo sistemático los tres requerimientos de partida del proyecto. En primer lugar, la necesidad de aumentar la superficie expositiva vertical de la sala, así como de generar el soporte necesario para piezas artísticas –esencialmente domésticas– que debían integrarse en el propio soporte expositivo (puertas [Dora García, Stanley Brouwn], armarios [Robert Gober], cortinas [Daniel Steegman], etc.). En segundo lugar, permitía la necesaria compartimentación del espacio expositivo siguiendo el correlato espacial de los diferentes capítulos del libro homónimo de Perec ("objetos" de escalas crecientes, de la página al espacio). Además, la distribución debía posibilitar al mismo tiempo la conexión de los espacios entre sí y, en tercer lugar, permitir diferentes reconfiguraciones, tanto de la propia exposición como de sus piezas, de manera que el comisario dispusiese de unas reglas de juego abiertas a posibles variaciones.

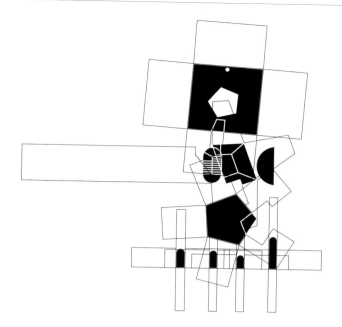

Maio. 110 Rooms. Collective housing.

curator could have open rules for possible variations.

As in the typology of 110 Rooms, in the case of MACBA, once the generic modular system had been defined, the spaces were made unique by depositing specific objects and uses within them. The second floor of the MACBA is hence transformed for an instant into a would-be apartment where the different works of art are placed on walls and floors, within a Cartesian space in which, paradoxically, the labyrinthine perception emanates from the repetition of a strict rationality and standardization where only some strategically placed windows enable certain rooms to be connected, creating new interpretative layers and conceptual connections between works, which also emphasizes how, in one way or another, all the scales are interlinked.

This project process could be regarded as the construction of the neutral which is subsequently personalized with objects (works, pieces, everyday objects) which anchor us to one specific space. However, it is not the mere presence of objects which guarantees its specific character. The use we give them also enables a unique character to be granted once more to an otherwise generic, or neutral, area.

Como ocurre con la tipología de 110 Rooms, en el caso del MACBA, una vez definido el sistema modular y genérico, los espacios se particularizan a partir de los objetos y los usos que en ellos se depositan. La segunda planta del MACBA se transforma de ese modo, por un instante, en una suerte de apartamento sobre cuyas paredes y suelos reposan las distintas obras, un espacio cartesiano en el que, paradójicamente, la percepción laberíntica surge de la repetición de una racionalidad y una estandarización estrictas donde sólo algunas ventanas, colocadas estratégicamente, permiten conectar ciertas habitaciones creando nueva capas interpretativas y conexiones conceptuales entre obras, haciendo patente, además, que de un modo u otro todas las escalas están interconectadas.

Podríamos entender ese proceso de proyecto como la construcción de lo neutro y su posterior particularización gracias a los objetos (obras, piezas, elementos cotidianos) que nos fijan a un espacio determinado y preciso. Pero no sólo la mera presencia de objetos nos garantiza su carácter específico. También el uso que de ellos hacemos es capaz de devolver un carácter particular a un área, de otro modo, genérica o neutra.

Maio. Exhibition Display System for Species of Spaces at MACBA.

JOSÉ HEVIA

Maio. 110 Rooms. Collective housing.

EXHIBITION DISPLAY SYSTEM FOR SPECIES OF SPACES AT MACBA

Maio (Maria Charneco,
Alfredo Lérida,
Guillermo López,
Anna Puigjaner)
Barcelona (Spain), 2015-2016

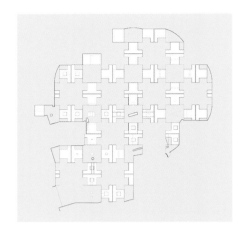

JOSÉ HEVIA

110 ROOMS.
COLLECTIVE HOUSING
Maio (Maria Charneco,
Alfredo Lérida,
Guillermo López,
Anna Puigjaner)
Barcelona (Spain), 2013-2016

Something similar is proposed in 110 Rooms, a residential project based on the minimal unit, the room, envisaged as the essential component in the domestic realm. Here, the building could be interpreted as a system of identical rooms which can be used freely such that hypothetically each apartment could be made larger or smaller by adding or subtracting rooms to adapt to different varying conditions. With this flexibility in mind, the rooms are similar, removing any type of spatial hierarchy or predetermination from the programme. This flexibility is made possible as a result of the location of the bathrooms, where vertical facilities are concentrated and where they can connect to all the rooms. Initially, each floor is divided into 4 apartments containing 5 interlinked rooms with no need for a hallway. In this case the kitchen has been placed at the centre while the other rooms can be used interchangeably, as in the case of the MACBA rooms, as bedrooms, studies or living rooms.

The ground floor of the building, on the other hand, is a reinterpretation of the traditional residential foyers in the Ensanche where the large marble spaces define a place for reception and representation. Like large liveable objects, the traditional furniture housed in the entrances of the Cerdà grid here become stone

Algo similar se propone en 110 Rooms, un proyecto de vivienda, que parte de la unidad mínima, de la habitación, entendida como pieza esencial de la esfera doméstica. Así, el edificio se puede entender como un sistema de habitaciones iguales que se pueden utilizar libremente, de modo que cada apartamento podría ser hipotéticamente ampliado o reducido sumando o restando habitaciones para así adaptarse a condiciones diversas cambiantes. Con esa flexibilidad en mente, las habitaciones son similares, eliminando cualquier tipo de jerarquía espacial y predeterminación del programa. Esa flexibilidad es posible gracias a la situación de los baños, donde se concentran las instalaciones verticales que pueden conectar con todas las habitaciones. Inicialmente, cada planta se divide en 4 apartamentos de 5 habitaciones, conectadas entre sí sin necesidad de pasillo. En este caso la cocina se ha ubicado en el centro, mientras las otras habitaciones se pueden utilizar, indistintamente, y de manera análoga a lo que sucedía en las habitaciones del MACBA, como dormitorios, estudios o salas de estar.

La planta baja del edifico, por su parte, es una reinterpretación de los vestíbulos tradicionales y populares del Ensanche, donde los mármoles y los grandes espacios definen el lugar de recepción y representación. A modo de grandes objetos habitables, los muebles tradicionales que pueblan los vestíbulos de la retícula de Cerdà, se transforman aquí en volúmenes

Main elevation

Rear elevation 1:500

volumes placed at the centre of a large open space. The interior courtyards provide cross ventilation and literally transform the ground floor into an extension of the garden and of the street. Something similar occurs with the facade where the traditional archetypal layout has been replicated in accordance with formalization as a common denominator of the elevations present in the street and as a direct re-interpretation of the traditional ordinary typology of the Barcelona Ensanche where lime stuccoes with decorative motifs, vertical openings, balconies and shutters predominate.

Nothing extraordinary, in fact quite ordinary or even infraordinary, wrote George Perec who never fails to remind us in his books that it is objects which enable us to define the space around us. The very elements which, by their presence, release us from pure abstraction. Each space contains a story. Yet Perec also speaks of other things. Of the rules of the game and exceptions, of the ordinary and of the infraordinary, of invention and intention. Things not far removed from architecture.

pétreos colocados en medio de un gran espacio abierto. Los patios interiores descubiertos permiten la ventilación cruzada y, literalmente, convierten la planta baja en una extensión del jardín y de la calle, donde llueve. Algo similar ocurre con la fachada, donde la composición arquetípica tradicional ha sido directamente replicada, siguiendo una formalización del común denominador de los alzados que pueblan la calle y haciendo una relectura directa de la tipología ordinaria tradicional del ensanche barcelonés, donde predominan los estucos de cal con motivos decorativos, las aberturas verticales, los balcones y las persianas de librillos.

Nada extraordinario, más bien ordinario o, incluso infraordinario, como escribió George Perec, quien no deja de recordarnos en sus libros, que son precisamente los objetos los que nos permiten definir el espacio que nos circunda. Los mismos elementos que, con su presencia, nos liberan de la pura abstracción. Que cada espacio contiene una historia. Pero Perec también nos habla de otras cosas. De reglas de juego y excepciones, de lo ordinario y lo infraordinario, de la invención y la intención. Cosas nada lejanas a esta arquitectura.

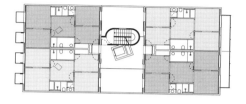

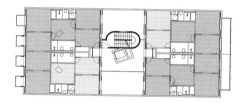

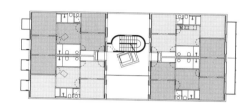

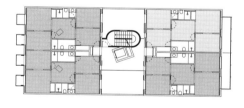

Longitudinal section

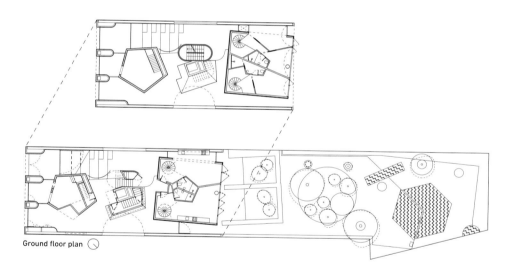
Ground floor plan

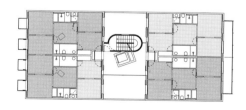

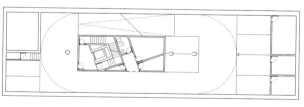

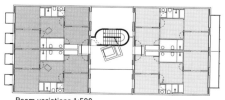

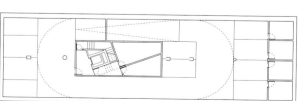
Floor plan car park

Room variations 1:500

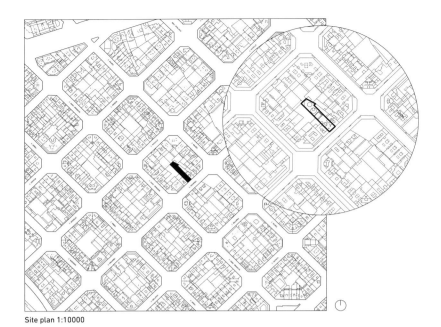

Site plan 1:10000

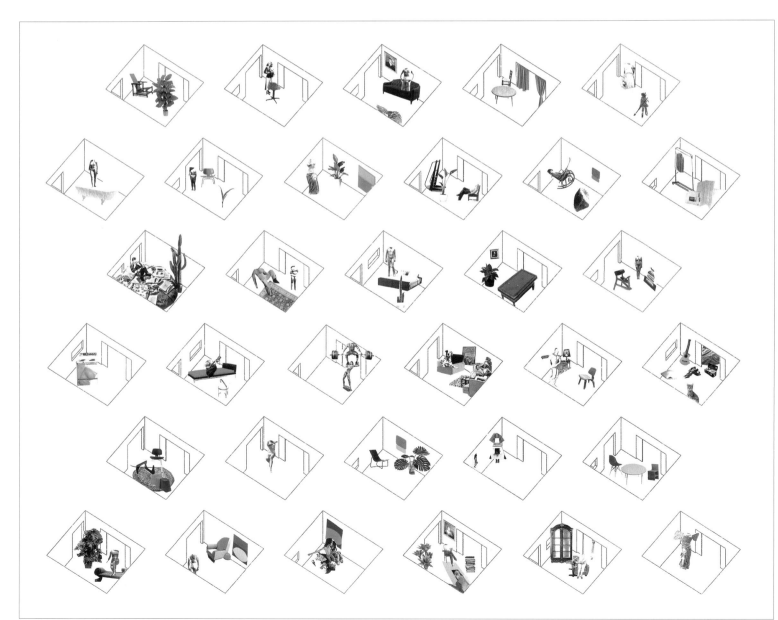

Collage of rooms

**ALL ROOMS ARE ALIKE,
MORE OR LESS.**

*"Apartments are built by
architects who have very precise
ideas of what an entrance-hall,
a sitting-room (living-room,
reception room), a parents'
bedroom, a child's room, a
maid's room, a box-room,
a kitchen, and a bathroom
ought to be like. To start with,
however, all rooms are alike,
more or less, and it is no good
their trying to impress us with
stuff about modules and other
nonsense: they're never anything
more than a sort of cube or let's
say rectangular parallelepiped.
They always have at least one
door and also, quite often, a
window. They're heated, let's say
by a radiator, and fitted with
one or two power points (very
rarely more, but if I start in on
the niggardliness of building
contractors, I shall never stop).
In sum, a room is a fairly
malleable space."*

*"Los apartamentos están
construidos por arquitectos
que tienen ideas muy precisas
sobre qué debe ser una entrada,
una sala de estar (living-room,
recepción), una habitación de
padres, una habitación de niño,
una habitación de servicio,
un pasillo, una cocina o un
cuarto de baño. Sin embargo,
al principio todas las piezas se
parecen poco o mucho, no vale
la pena tratar de impresionarnos
con historias de módulos y otras
pamplinas: sólo son una especie
de cubos, digamos que son
paralelepípedos rectangulares; y
por lo menos siempre hay una
puerta y, todavía a menudo,
una ventana; tienen calefacción,
pongamos que por radiadores,
y están equipados con uno o
dos enchufes (muy raramente
más, pero no quiero empezar
a hablar de la mezquindad
de los contratistas porque
no terminaría nunca). En
suma, una pieza es un espacio
maleable.*

GEORGES PEREC
Species of spaces and other pieces.
Translated by John Sturrock. Penguin,
2001. p. 28.
Especies de espacios. Trad. Jesús
Camarero. Montesinos, 2001. p. 54.

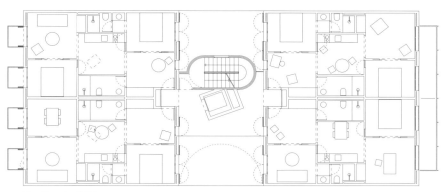

Type floor plan 1:250

JOSÉ HEVIA

The Complexity of Everyday Life

JAVIER MOZAS

Mixers are complex buildings loaded with stimulating uses which, when inserted into a run-down urban fabric, mix up the entire organism and exert an influence which goes far beyond their physical scope and which manages to exponentially revitalize the whole built environment.

Los mezcladores son edificios complejos, con alta carga de usos estimulantes, que introducidos en un tejido urbano cuya actividad se encuentra en declive, remueven el organismo completo e influyen más allá de los límites físicos de su campo de acción, revitalizando todo el conjunto construido con efecto multiplicador.

Modernity, be it the Modernist Movement or the International Style, is essentially Newtonian, machinist, determinist, objective and focused on the concept of technological progress. Complex systems, on the other hand, are known for being uncertain, diverse, non-linear, holistic and for garnering order from their inherent chaos.

In 1930[1], when Ludwig Hilberseimer developed the model for urban composition, which he called *Mischbebauung* (mixed development), consistent in an approach involving mixed-height housing development, Modernism stood at a critical moment. Unidirectional regulation was being applied not only to nine-storey north-south facing blocks but also to one of the axes of the L-shaped grid of detached houses and this was mostly a result of exposure to sunlight being the main regulatory criterion.

In Lafayette Park, Detroit, 1955-1960, (see p. 85) and as a result of the previous theoretical model, Hilberseimer, in partnership with Caldwell and Mies van der Rohe, brought together house-building and landscape, urban and suburban character, pedestrian paths and car parks... opposing dualisms later replicated by all as a modern paradigm for urban planning.

Europapark, on the left bank of the river Scheldt in Antwerp, (see p. 87) was not to be spared from this mindset and when it was completed in 1973, it had strayed from the mix of residential fabric with facilities espoused within the doctrine of

La modernidad, entiéndase Movimiento Moderno, o Estilo Internacional, es esencialmente newtoniana, mecanicista, determinista, objetiva y enfocada hacia el concepto de progreso tecnológico. Los sistemas complejos, en cambio, se caracterizan por ser inciertos, diversos, no lineales, holistícos y por extraer orden del caos que les es inherente.

En 1930[1], cuando Ludwig Hilberseimer desarrolló el modelo de composición urbana, que denominó *Mischbebauung* (desarrollo mixto), consistente en un planeamiento con diferentes alturas construidas, la modernidad estaba en su momento álgido. La unidireccionalidad de la ordenación se aplicaba tanto a los bloques de nueve alturas con orientación norte-sur, como a uno de los ejes de la retícula de viviendas unifamiliares en L y estaba causada principalmente por el soleamiento, como principio regulador.

En Lafayette Park, en Detroit, 1955-1960, (ver p. 85) y como resultado del anterior modelo teórico, Hilberseimer, junto con Caldwell y Mies van der Rohe, combinó edificación y paisaje, carácter urbano y suburbano, recorridos peatonales y aparcamientos para vehículos... dualidades contrapuestas que fueron replicadas por doquier como paradigma moderno de planificación urbana.

Europapark, en la margen izquierda del Escalda en Amberes, (ver p. 87) no escapó a esta manera de entender el mundo y, cuando se terminó en 1973, dejó por el camino toda la mezcla de tejido residencial con servicios que propugnaba, en su doctrina, el proyecto moderno

1. That very year, Le Corbusier was developing the plan for the Ville Radieuse.
   Ese mismo año, Le Corbusier estaba desarrollando el plan para la Ville Radieuse.

FILIP DUJARDIN

IGLO MASTERPLAN
Technum, De Smet Vermeulen architects,
architects De Vylder Vinck Taillieu,
Trice Hofkens architecten, Van
Geystelen-Thys architects,
Denis Dujardin landscape architect.
Iglo Masterplan Linkeroever,
Antwerp (Belgium), 2006-20014.
(Project on pages 88-95)

SIMPLIFY, CLARIFY, SATISFY

"To solve so complex a problem we must go back to fundamentals. We must learn to see the intricate simply, even naively. We must disentangle the chaos in our conceptions. We must define our purposes. Only then can we plan and build our cities to our satisfaction. Only when our aims are clear in our minds can we proceed to find ways and means to fulfil those aims".

"Para resolver un problema tan complejo hay que volver a los fundamentos. Debemos aprender a ver lo intrincado de manera sencilla, incluso ingenua. Hay que desentrañar el caos en nuestros diseños. Debemos definir nuestros propósitos. Sólo entonces podremos diseñar y construir nuestras ciudades para satisfacción nuestra. Sólo cuando nuestros objetivos estén claros en nuestra mente podremos encontrar formas y medios para cumplir esos objetivos".

LUDWIG HILBERSEIMER
The New City. Principles of Planning,
Paul Theobald, Chicago, 1944. p. 56.

the original modern project. The result was small standardized dwellings which did little to promote variety or diversity and which had a tenuous relationship with the historical centre of Antwerp. This led in the early years of this century to the ghettoization of this area.

The IGLO project, (see p. 88) promoted by the public authorities on this site from 2005 onwards, aims to reroute the situation and introduce complexity as a compulsory requirement within contemporary town planning. The project acts in accordance with reality, by replacing the "scientific method" and by incorporating contingencies, thus facilitating the control of an increasing number of, no longer merely composition- or hygiene-centred, variables. It envisages, among other phenomena, a broad generational mix as a way of creating social integration, or the intervention of different propositional actors (several teams of architects) in an aim to adopt a complex systems approach based on different viewpoints, providing a broader understanding of the real functioning.

In Antwerp, the open space to the south of the twenty-seven storey Chicago block becomes the heart of the neighbourhood. The social and facilities programme which at the time was not incorporated into Europapark, has now been reinstated in an urban seam-stitching operation which fills in the void, reels in the existing blocks and sets a human scale as the visual reference for the environment. Furthermore, this entire process has been undertaken by assuming the complexity of the estate, employing a wide variety of materials and compositional criteria yet without demolishing the problematic blocks. This is achieved by intervening at several levels and aiming for the system to cope with a certain self-organization after certain minor adjustments.

original. El resultado fueron unas viviendas pequeñas y estandarizadas, que no fomentaban ni la variedad, ni la diversidad y que mantenían una difícil relación con el centro histórico de Amberes. Todo esto condujo, a principios de este siglo, a una guetización del barrio. El proyecto IGLO, (ver p. 88) promovido por los poderes públicos en ese mismo emplazamiento a partir de 2005, trata de reconducir la situación e introduce la complejidad como condición necesaria en el planeamiento urbano contemporáneo. Actúa sobre la realidad, reemplazando el "método científico" para incorporar contingencias y poder controlar así un número creciente de variables, que no son únicamente compositivas o higiénicas. Maneja, entre otros fenómenos, la mezcla de generaciones como manera de integración social, o la intervención de diferentes agentes propositivos (varios equipos de arquitectos), con el fin de obtener una aproximación al sistema complejo desde distintos puntos de vista, que permita una mejor comprensión de su funcionamiento.

En Amberes, el espacio libre que existía al sur del bloque Chicago, de veintisiete plantas, se transforma en el corazón del barrio. El programa social y de equipamientos que no pudo incorporar Europapark en su momento, se ha recuperado ahora en una operación de costura urbana, que llena el vacío, ata los bloques existentes y sitúa la escala humana como la referencia visual de entorno.

Y todo este proceso se realiza asumiendo la complejidad del conjunto, con una gran variedad de materiales y criterios compositivos, pero sin derribar los bloques problemáticos. Se consigue interviniendo a varios niveles y pretendiendo que el propio sistema consiga auto-organizarse después de unos pequeños ajustes.

DWELL

Lafayette Park Detroit, 1956-1959. Ludwig Hilberseimer, Mies van der Rohe, and Alfred Caldwell

Lafayette Park consists of 162 three-storey maisonettes and 24 two-storey maisonettes with cooperative tenures, three 22-storey blocks containing one, two and three-bedroom apartments with rental tenures, and a 13 acre park known as Lafayette Plaisance. The only basic facility in the area is a primary school. There is also a small ground floor retail area. The estate was located only 1.7 miles northwest of Detroit city centre, and it was the result of an urban renewal process which involved the demolition of Black Bottom, a run-down working-class area which was replaced by "blocks in the park" for the Motor City middle class. It is still fully functional today and there is a high level of occupancy.

Lafayette Park comprende 162 viviendas adosadas en tres niveles y 24 en dos niveles, en régimen de cooperativa, tres bloques de 22 plantas con apartamentos en alquiler, de uno, dos y tres dormitorios y un parque de 5,3 hectáreas, conocido como Lafayette Plaisance. El único equipamiento es la escuela primaria y una pequeña zona comercial en planta baja. El conjunto está situado a solo 2,7 kilómetros al noreste del centro de Detroit y fue el resultado de un proceso de renovación urbana que se llevó por delante Black Bottom, un barrio degradado de clase trabajadora, que fue sustituido por "bloques en el parque" para la clase media de Motor City. Hoy en día sigue funcionando y mantiene un alto nivel de ocupación.

A. TWENTY ONE STORY APARTMENT BUILDING
B. TWO STORY TOWNHOUSES
C. ONE STORY TOWNHOUSES
D. PARKING STRUCTURE
E. NEIGHBOURHOOD SHOPPING CENTRE
F. PUBLIC PARK
G. PUBLIC SCHOOL

A. EDIFICIO DE VIVIENDAS DE 21 PISOS
B. VIVIENDAS ADOSADAS DE DOS ALTURAS
C. VIVIENDAS ADOSADAS DE UNA ALTURAS
D. APARCAMIENTO
E. COMERCIO DE BARRIO
F. PARQUE PÚBLICO
G. ESCUELA PÚBLICA

The Left Bank of the River Scheldt Antwerp (Belgium), 1933. Le Corbusier

Left bank of the river Scheldt with the area of the masterplan proposed by Le Corbusier in 1933.
Margen izquierda del río Escalda con el área del plan propuesto por Le Corbusier en 1933.

Following the scheme proposed for Ville Radieuse, 1930, Le Corbusier drew five diagrams for a competition for the urban development of the left bank of the river Scheldt in Antwerp. The land had been purchased by the city council in the 1920s in an aim to provide better living conditions for the working class who until then had been living in slums on the right bank. The ideas to generate this new Antwerp, a city for 150,000 inhabitants, coincided with those expressed in the Athens Charter: segregation of functions, separate routes for cars and pedestrians, prevalence of hygienic measures and exposure to sunlight in the layout of the buildings, large green areas surrounding the residential blocks... With the advent of the Second World War, the modern drive to colonize the left bank of the Scheldt was put on hold and it was not until the late 1960s that the plan was revived with the name Europapark, although by then to a great extent its original intensity had faded.

Siguiendo el esquema planteado en la Ville Radieuse, 1930, Le Corbusier realizó cinco dibujos para un concurso sobre la ordenación de la margen izquierda del Escalda en Amberes. Los terrenos habían sido adquiridos por el municipio de la ciudad en los años veinte, con la intención de proporcionar unas mejores condiciones de vida a la clase trabajadora, que hasta entonces se había alojado en los barrios mas degradados de la margen derecha. Las ideas generadoras de este nuevo Amberes, una ciudad para 150.000 habitantes, coincidían con las expresadas en la Carta de Atenas: segregación de funciones, recorridos diferenciados para automóviles y peatones, prevalencia de medidas higiénicas y soleamiento en la ordenación de los volúmenes, grandes zonas verdes alrededor de los bloques residenciales... Con la Segunda Guerra Mundial, el impulso moderno de colonización de la margen izquierda del Escalda quedó aparcado. No fue hasta finales de los sesenta, cuando el plan volvió a tomar fuerza, bajo el nombre de Europapark, aunque mucho más apagado en su intensidad propositiva.

01 View of the urban plan proposed by Le Corbusier on the left bank of the Scheldt, Antwerp, Belgium
Vista del plan urbano propuesto por Le Corbusier para la margen izquierda del Escalda, Amberes, Bélgica.

02 Masterplan proposed by Le Corbusier in the left bank of the Scheldt, Antwerp, Belgium.
Planta general del plan urbano propuesto por Le Corbusier para la margen izquierda del Escalda, Amberes, Bélgica.

03 Model of the masterplan proposed by Le Corbusier, made in 1987 by H.A.I.R. Antwerp in *Vlaanderen* n° 234, 1991.
Maqueta del plan de Le Corbusier realizada en 1987 por H.A.I.R. Antwerp.

01

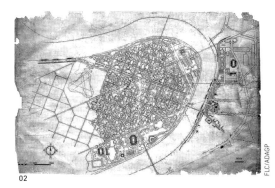

02

03

Europapark Linkeroever, Antwerp (Belgium), 1968-1973. Aelbrecht, Bruynswijck, Moureau and Wathelet

Left bank of the river Scheldt with the area of the Europapark Masterplan proposed in 1968.
Margen izquierda del río Escalda con el área del plan Europapark propuesto en 1968.

Work on Europapark, the new district on the left bank of the river Scheldt, was started in 1968 and construction was not to be completed until 1973. It is located less than one kilometre from Antwerp city centre. Designed by Aelbrecht, Bruynswijck, Moureau and Wathelet who won the competition held for Belgian architects, this estate consists of an orthogonal mesh, running north to south with 18 blocks in a landscape of green meadows. The result was essentially modern yet without the common services foreseen in the utopian stage of Modernism. The nursery school, secondary school and elder care centre, which featured in the initial proposals, were never built. The limited diversity of housing types and the small dwellings meant that this area failed to appeal to a wide range of different generational groups. In Europapark, the height of the blocks ranged from thirteen to twenty-seven storeys, with an urban structure which hindered social relationships between the residents. It lacked both an intense centre and the necessary urban services. The scale of the constructions, rather than being at human scale, was designed with the car in mind. The atmosphere could be regarded as somewhat desolate. In the late 1990s, the area started to become run-down. Modernism had failed to take into consideration the complexity stemming from mixed uses, in terms of the different needs of different generations, or the amount of social contact, the outcome of intense social relationships, crucial for the proper functioning of urban life.

Europapark, el nuevo barrio en la margen izquierda del Escalda, se inició en 1968 y su construcción se alargó hasta 1973. Está situado a menos de un kilómetro del centro de Amberes. El diseño estuvo a cargo de Aelbrecht, Bruynswijck, Moureau y Wathelet, que ganaron un concurso convocado entre arquitectos belgas. Consistió en una rejilla ortogonal, siguiendo el eje norte-sur, con 18 bloques en medio de un paisaje de verdes praderas. El resultado fue esencialmente moderno, pero sin los servicios comunitarios que se contemplaban en la fase utópica de la modernidad. La guardería, la escuela secundaria y la residencia de ancianos, inicialmente propuestas, nunca se construyeron. La escasa diversidad de los tipos de vivienda y sus reducidas dimensiones, impidieron que este nuevo barrio fuera ocupado por grupos de generaciones diferentes. En Europapark, la altura de los bloques variaba desde trece hasta veintisiete plantas, con una estructura urbana que dificultaba la relación social entre los residentes. Carecía de un centro con intensidad y de los servicios urbanos necesarios. La escala de las construcciones no tenía precisamente como referencia a la figura humana, sino que estaba pensada a la medida del automóvil. Una atmósfera, en cierto modo, desoladora. A finales de los noventa, empezó la decadencia del barrio. La modernidad no tuvo en cuenta ni la complejidad que supone la mezcla de usos, ni las necesidades de las distintas generaciones, ni los múltiples contactos, fruto de unas relaciones sociales intensas, que son imprescindibles para que se desarrolle la vida urbana.

Europapark model, 1966
Maqueta de Europapark, 1966

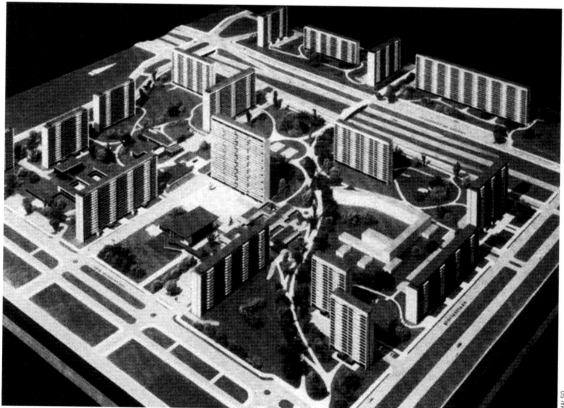

Iglo Masterplan Linkeroever, Antwerp (Belgium), 2006-20014.

Technum, De Smet Vermeulen architects,
architects de vylder vinck taillieu, Trice Hofkens
architecten, Van Geystelen-Thys architects,
Denis Dujardin landscape architect

Left bank of the river Scheldt with the area
of the IGLO Masterplan proposed in 2006.
Margen izquierda del río Escalda con el área
del plan IGLO propuesto en 2006.

From 2005 onwards, the Antwerp city council decided to revitalize the Europapark complex with a plan known as IGLO, the Inter Generational Linker Oever (Inter Generational Left Bank). This was the outcome of an urban design competition won by a team headed by Technum, with several architects working together under the supervision and commission of the authorities. Workshops were set up and feedback from property developers and local residents was taken into consideration. The Technum proposal aimed to integrate the large scale of Europapark with closer attention to the "small grain"; to combine the significant presence of the block with lower-rise blocks within a new well-defined layout. The local facilities would be enhanced and made more accessible and one basic component would be added: spaces for different generations would be inserted. With this in mind, IGLO Street was designed, whose function was to enhance the cohesion between existing services. Furthermore, this would function as a linker between the east and the west areas, between the Scheldt and the natural landscape of the left bank. The plan aimed to revitalize Europapark based on the creation of a new social infrastructure, which materialized with the construction of a building offering elder care services, a school, a day care centre and assisted housing. The aim was to create an area which would be less segregated, with a greater social and generational mix; ultimately, with greater complexity.

A partir del 2005, el gobierno municipal de la ciudad de Amberes se propuso revitalizar el conjunto de Europapark mediante un plan denominado: IGLO, Inter Generational LinkerOever, (Margen Izquierda Inter Generacional). Fue desarrollado a partir de un concurso de diseño urbano, del que resultó ganador el equipo encabezado por Technum, con varios arquitectos trabajando juntos, bajo la supervisión y el encargo de la administración. Se organizaron talleres y se tuvieron en cuenta las opiniones de promotores y de los residentes locales. La propuesta de Technum proponía integrar la gran escala de Europapark con una mayor atención a lo pequeño, al "grano fino". Combinar la gran presencia de los bloques con edificios más bajos dentro de una nueva trama bien definida. Los equipamientos del barrio se mejorarían, se harían más accesibles y, sobre todo, se añadiría un componente básico: la introducción de espacios para distintas generaciones. Para ello, se diseña una calle, la calle IGLO, con la función de aumentar la cohesión entre los servicios existentes. Además, serviría de enlace entre el este y el oeste, entre el Escalda y el paisaje natural de la margen izquierda. El plan pretendía revitalizar Europapark a partir de la creación de una nueva infraestructura social, que se concretaba en la construcción de un edificio de atención para ancianos, una escuela, una guardería y viviendas asistidas. El objetivo era conseguir un barrio menos segregado, con más mezcla social y generacional. En definitiva, con una mayor complejidad.

Aerial view from South, 2015.

IGLO street (in red) on a site plan around 1975.
Margen izquierda en torno a 1975, con la
localización de la calle IGLO (en rojo)

IGLO MASTERPLAN GUIDELINES
DIRECTRICES DEL PLAN IGLO

 LANDSCAPE
PAISAJE

FIELDS WITHIN THE GRID (RECTANGULAR
PATTERN OF PARALLEL SCANNING LINES)
CAMPOS DENTRO DE LA TRAMA

ENSEMBLES
CONJUNTOS

IGLO STREET
CALLE IGLO

SLOW TRAFFIC ROUTES
CALLES DE TRÁFICO LENTO

CAR TRAFFIC
CALLES DE TRÁFICO RODADO

DIRECTION
SENTIDO

BLUE: EXISTING BUILDINGS
BLUE WITH PINK DOTS: REFURBISHMENTS AND
NEW BUILDINGS WHICH ARE AN INDIRECT RESULT
OF THE MASTERPLAN
PINK AND RED: NEW BUILDINGS INCLUDED WITHIN
THE BRIEFING OF THE MASTER PLAN

01 ST. LUCAS CHURCH
02 CHICAGO SLAB (REFURBISHMENT OF THE
   LOWER FLOORS)
03 SUPERMARKET
04 SPORT HALL AND YOUTH CENTRE
   TOM THYS ARCHITECTEN (CURRENTLY STUDIO
   THYS VERMEULEN)
05 ELDERLY HOME
   DE SMET VERMEULEN ARCHITECTEN
06 CHILDREN DAY CARE CENTRE
   DE SMET VERMEULEN ARCHITECTEN
07 SERVICE CENTRE AND SERVICE FLATS
   ARCHITECEN DE VYLDER VINCK TAILIEU
08 SERVICE FLATS
   TOM THYS ARCHITECTEN (CURRENTLY STUDIO
   THYS VERMEULEN)

AZUL: EDIFICIOS EXISTENTES
AZUL CON PUNTOS ROSA: REFORMAS Y NUEVOS
EDIFICIOS, RESULTADO INDIRECTO DEL PLAN
ROSA Y ROJO: NUEVOS EDIFICIOS PREVISTOS
EN EL PLAN

01 IGLESIA DE SAN LUCAS
02 BLOQUE CHICAGO (REMODELACIÓN DE LOS
   PISOS INFERIORES)
03 SUPERMERCADO
04 SALA DEPORTIVA Y CENTRO JUVENIL
   (TOM THYS ARCHITECTEN, ACTUALMENTE
   ESTUDIO THYS VERMEULEN)
05 RESIDENCIA DE ANCIANOS
   (ARCHITECTEN DE SMET VERMEULEN)
06 GUARDERÍA
   (ARCHITECTEN DE SMET VERMEULEN)
07 CENTRO DE ASISTENCIA Y VIVIENDAS ASISTIDAS
   (ARCHITECEN DE VYLDER VINCK TAILIEU)
08 VIVIENDAS ASISTIDAS
   (TOM THYS ARCHITECTEN, ACTUALMENTE
   ESTUDIO THYS VERMEULEN)

A Mixed Urban Form

**LINKER OEVER
INTERGENERATIONAL
PROJECT (IGLO)**
De Smet Vermeulen
architecten
Antwerp (Belgium)
2006-2014

PROGRAMME
Master plan
Children's day-care centre
Residential care centre
Service flats and
Shops on the square

Left bank of the river Scheldt with the
area of the project by De Smet Vermeulen
architecten.
Margen izquierda del río Escalda con el
área del proyecto de De Smet Vermeulen
architecten.

In the Linkeroever (left bank) residential area there is a clear dividing line between the garden suburb and the high-rise estate. For the Linker Oever Intergenerational Project (IGLO), on a plot within the high-rise section, the Technum urban designers teamed up with three architectural firms (De Smet Vermeulen architecten, architecten de vylder vinck taillieu and Tom Thys architecten) to produce a simple master plan. A new street cuts through the parks and the plot walled by high-rises. Existing and new facilities address this street, creating a centre. In contrast to the extensive parks beyond it, the high-rise room is filled with low-rise buildings: a residential care complex, a child care centre and a shop topped by flats for the elderly. The clear dividing line was blurred. The conflicting models become complementary and evolve into a more mixed, less segregated urban form.

The three low-rise buildings have their entrances on the square, but their ridges are perpendicular to the street. They present an animated roofscape to the high-rise and impact on the public domain in many ways. While outside the high-rise room there are large parks, inside it we created gardens. Local residents heading for the cafeteria, the hairdresser or the therapy rooms in the residential care complex, walk past the child care centre's garden, which will hopefully result in seniors getting involved in child care activities. Residents with a ground floor room do not need to use the main entrance but can enter via the garden. On the side streets, the flats for short-term accommodation have their own entrances. The most public parts of the residential care

En la zona residencial de Linkeroever (orilla izquierda) de Amberes hay una clara línea divisoria entre las urbanizaciones del tipo ciudad-jardín y los bloques de gran altura. En esta zona de gran altura, los urbanistas de Technum se han asociado con tres firmas de arquitectura (De Smet Vermeulen architecten, architecten De Vylder Vinck Taillieu y Tom Thys architecten) para producir un Plan Urbano simplificado. Una nueva calle atraviesa los parques existentes y la parcela en cuestión, amurallada por los edificios altos. Los equipamientos existentes y los de nueva creación se orientan hacia esta calle, creando un centro lineal. En contraste con los extensos parques situados fuera de este entorno, el espacio delimitado por edificios de gran altura se rellena con edificios de poca altura: un complejo de viviendas asistidas, un centro infantil de día y bajos comerciales rematados por pisos para ancianos. La clara línea divisoria existente entre intensidades edificatorias se ha difuminado. Los dos modelos antagónicos iniciales, origen del conflicto se complementan y evolucionan hacia una forma urbana más mixta, menos segregada.

Los tres edificios de poca altura tienen sus entradas hacia la plaza, pero sus cumbreras son perpendiculares a la nueva calle. Presentan un animado paisaje de cubiertas a los edificios altos y actúan sobre el dominio público de varias maneras. Mientras que fuera del espacio entre los edificios altos hay grandes parques, dentro de él hemos creado jardines. En el complejo residencial asistido, los residentes locales que se dirigen a la cafetería, la peluquería o las salas de terapia deben atravesar el jardín del centro infantil de día, con lo que esperamos que las personas mayores se involucren en las actividades del cuidado de niños. Los residentes con su habitaciones en planta baja no necesitan utilizar la entrada principal, porque pueden acceder por el jardín. Los apartamentos para alojamiento de corta estancia tienen sus propias entradas en las calles laterales.

FILIP DUJARDIN

Section A 1:1500

de vylder vinck taillieu. Service centre and serviced flats, within the IGLO Materplan. Main elevation.
de vylder vinck taillieu. Centro de servicios y viviendas asistidas, incluidas en el plan IGLO. Alzado principal

complex face the square; behind them are the communal living spaces and behind that again the individual rooms, grouped around the gardens. So instead of passing endless rows of identical rooms, the route from the main entrance to a room passes through a variety of residential milieus. A transverse route strings the houses together, resulting in short travel paths for the care professionals.

When dealing with large numbers, differentiation helps with orientation. In the northern and southern houses, the stair is positioned differently. Only rooms facing the garden have French windows. The ground, first and second floors differ. Below the roof, the roof shape is visible. Permutations of a colour palette differentiate each corridor and each room. The rest is done by the views from the window, where the new architecture manifests as successive layers against the high-rise.

Large-scale materials forge a link with the high-rise. The rendered facade panels of the residential care complex evoke gigantic rustication, but the aluminium lineation removes any suggestion of heaviness. While the seniors' flats are a variation on the residential care complex, the child care centre is intentionally different. Six units, three patios, two corridors and one garden make for a lucid plan. But because children are not yet familiar with adult clichés, the need for imagination is more compelling. A lamp and a cloth sound baffle could be a migratory bird; a ventilation pipe a samovar on a magic carpet.

Like a heavy blanket, a green roof planted in motifs keeps the indoor climate stable. Thanks to the regular bay structure, the curve, which encloses a small upper floor, was easy to build as a ruled surface. Inside, the sloping roof conveys gradual growth, as do the weatherboarded, 'crookedly buttoned' cement fibre boards in the facades, which become bigger above the aluminium rail. The rail itself sets a metaphorical bar against which growth can be measured.

Las partes más públicas del centro asistencial se enfrentan a la plaza. Detrás de ellas se encuentran los espacios comunes y más allá, de nuevo, las habitaciones individuales, agrupadas alrededor de los jardines. Así que, en lugar de pasar por interminables hileras de habitaciones idénticas, la ruta de entrada principal a una habitación pasa por una gran variedad de ambientes residenciales. Como alternativa, una ruta transversal encadena todas las viviendas, dando lugar a recorridos más cortos para los profesionales que se ocupan de la atención.

Cuando se trata de grandes cantidades, la diferenciación ayuda a conseguir una buena orientación. Las permutaciones dentro de una paleta de colores diferencian cada pasillo y cada habitación. El resto se hace a través de las vistas desde la ventana, donde la nueva arquitectura se manifiesta en capas sucesivas frente a los bloques altos. Los materiales de gran escala mantienen un vínculo con el edificio alto. Los paneles de fachada del complejo de viviendas asistidas evocan una rusticidad gigantesca, pero en cambio, las líneas del aluminio eliminan cualquier sugerencia de pesadez. Mientras que los apartamentos de los mayores son solamente una variación dentro del complejo de viviendas asistidas, el centro infantil de día es intencionadamente diferente. Seis unidades, tres patios, dos pasillos y un jardín hacen que la planta quede más clara. Pero, debido a que los niños todavía no están familiarizados con los clichés de los adultos, se necesita un poco de imaginación. Una lámpara y un deflector de sonido de tela podría ser un pájaro migratorio. Un tubo de ventilación, un samovar sobre una alfombra mágica.

Como una gruesa capa, la cubierta verde, cuyas plantaciones se han realizado según un patrón variado, mantiene el clima interior estable. Gracias a la repetición de luces estructurales, la curva, que incluye un pequeño piso superior, ha sido más fácil de construir como una superficie reglada. En el interior, el techo inclinado aumenta de altura gradualmente, lo mismo que los tableros de fibrocemento de las fachadas, colocados solapados y con fijaciones desalineadas. Estos tableros son de mayor tamaño por encima del carril de aluminio. Este carril, por sí mismo, establece una línea de nivel metafórica, a partir de la cual se puede apreciar el aumento de altura de la planta baja.

Site plan 1:1500

Section B 1:1500

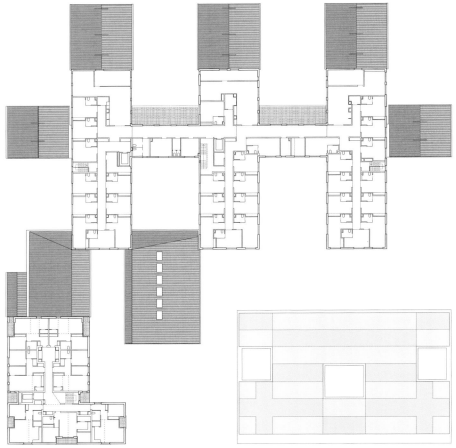

Second floor plan

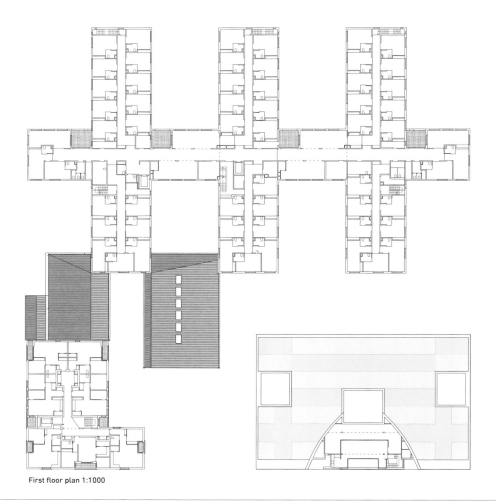

First floor plan 1:1000

FILIP DUJARDIN

FILIP DUJARDIN

A Whole Connected

JAVIER MOZAS

The urban image of downtown Hollywood revolves around palm trees and the letters on the hillside yet there are also 2,500 homeless people wandering the streets of whom 405 belong to the LGBT community.

Since 1968 the LGBT Center, Los Angeles has been providing not only healthcare services but also homes, culture and education for this increasingly vulnerable sector of the population. In late 2016, the Los Angeles City Planning Commission approved the Leong Leong and Killefer Flammang Architects project to build a new centre for this community in Hollywood city centre.

The new building would become a new porous campus boasting a large public space linking to the existing cultural facilities known as The Village at Ed Gould Plaza.

At Leong Leong they are concerned as to how architecture can produce other forms of collective living in response to an increasingly media-obsessed culture enveloped within the inexorable march of technological progress.[1] Ultimately, how to fight the constant pressure stretching human abilities to breaking point, driven by a dual speed complexity: on the one hand, the slow rhythm of biological evolution and on the other, the accelerated technology of cybernetics. Between the Theory of Evolution and the Law of Accelerating Returns.[2]

La imagen urbana del centro de Hollywood gira alrededor de palmeras y de letras en la colina, pero también está compuesta por cerca de 2.500 personas sin hogar que deambulan por sus calles. De todas ellas, un 40% pertenece al colectivo LGBT.

Desde 1969, el Centro LGBT de Los Ángeles presta servicios de salud y procura vivienda, cultura y educación a este segmento de población cada vez más necesitado. A finales de 2016, la Comisión de Planeamiento Urbano de Los Ángeles aprobó el proyecto de Leong Leong y Killefer Flammang Architects para construir un nuevo centro para esta comunidad en el centro de Hollywood.

El nuevo edificio se convertirá en un nuevo 'campus' poroso y estará dotado de un generoso espacio público, que conectará con los equipamientos culturales existentes conocidos como The Village en la Ed Gould Plaza.

En Leong Leong están preocupados por cómo la arquitectura puede producir otras formas para vivir en colectividad, que den respuesta a una cultura cada vez más mediatizada y envuelta en el flujo implacable del progreso tecnológico.[1] En definitiva, cómo se puede luchar contra la presión constante que lleva la capacidad humana al límite, al verse impulsada por una complejidad a dos velocidades: una, al pausado ritmo de la evolución biológica y otra, sujeta a la aceleración tecnológica de la cibernética. Entre la Teoría de la evolución y la Ley de rendimientos acelerados.[2]

1. The Newer Age Studio. Columbia University, GSAPP. Critics: Dominic Leong and Christopher Leong. Fall 2016. See p. 4-7 in this volume.

2. Raymond Kurzweil. The Law of Accelerating Returns. http://www.kurzweilai.net/the-law-of-accelerating-returns

One of the solutions to this existential crisis proposed by Leong Leong is to aim to understand the phenomenon known as 'intentional communities', small residential communities with internal cohesion which are alternative in cultural terms and have a common spiritual goal: to distance society from the consumerism linked to knowledge optimization techniques and the culture of comfort. That is, how to use architecture to resist the military acronym VUCA, whereby volatility, uncertainty, complexity and ambiguity are believed to characterize the contemporary world.

If in the IGLO project (p. 88-95) the generational mix and actors produced a socially hybrid complex, in this Los Angeles project, the programme is endogamous and aimed mainly at the LGBT community yet its architecture is open to mixing and makes a serious commitment to the neighbourhood. Despite criticism from some local residents, this architecture has made considerable efforts to understand the complexity of everyday life. A series of curved superimposed volumes shelter the ground floor public space and display, through the glazed facades, the workings of a live organism, a connected whole serving the most vulnerable members of the community.

Una de las salidas, que propone Leong Leong a esta crisis existencial, es el entendimiento del fenómeno '*intentional communities*', que son pequeñas comunidades residenciales cohesionadas internamente, alternativas culturalmente y con un objetivo espiritual común: alejar a la sociedad del consumismo ligado a las técnicas de optimización del conocimiento y a la cultura del bienestar. Es decir, cómo utilizar la arquitectura para resistir al acrónimo militar VUCA, donde es la volatilidad, la incertidumbre, la complejidad y la ambigüedad lo que caracteriza al mundo contemporáneo.

Si en el proyecto IGLO (p. 88-95) la mezcla de generaciones y agentes han producido un conjunto socialmente híbrido, en este proyecto de Los Ángeles, el programa es endogámico y dirigido principalmente al colectivo LGBT, pero su arquitectura sí que es abierta a la mezcla y adopta un compromiso serio con el barrio. A pesar de las críticas de algunos residentes locales, el esfuerzo de esta arquitectura por comprender la complejidad de la vida diaria ha sido notable. Una serie de volúmenes curvos superpuestos protegen el espacio público de planta baja y dejan ver, a través de sus fachadas acristaladas, el funcionamiento de un organismo vivo, un todo conectado puesto al servicio de una de las partes más vulnerables de la comunidad.

ANITA MAY ROSENSTEIN CAMPUS - THE LOS ANGELES LGBT CENTER
Leong Leong
Killefer Flammang
Pamela Burton
Los Angeles, CA (USA), 2016-2019

PROGRAMME
140 units of affordable housing for seniors and young adults.
100 beds for homeless youth.
Senior centre.
Retail space.
Young centre.
Administrative headquarters.

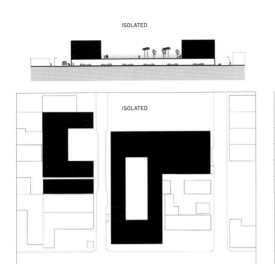

ISOLATED

ISOLATED

MULTIPLE IDENTITIES

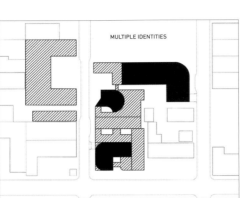

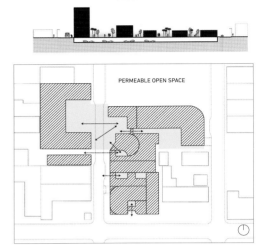

PERMEABLE

PERMEABLE OPEN SPACE

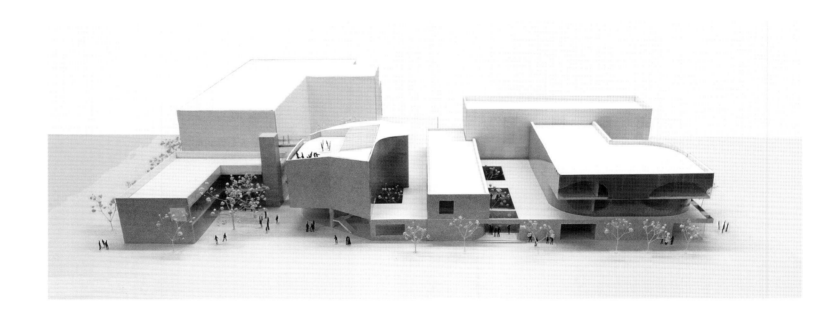

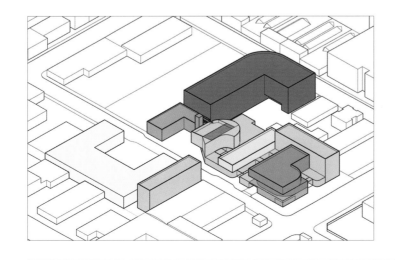

01. SENIOR CENTRE
02. SENIOR HOUSING
03. MULTIPURPOSE ROOM
04. KITCHEN
05. BUILDING SERVICE
06. YOUTH CENTRE
07. EOB DORM
08. TLP HOUSING
09. YOUTH
    ADMINISTRATION
10. OFFICES
11. RETAIL
12. YOUTH HOUSING
13. THE VILLAGE AT ED
    GOULD PLAZA

Ground floor plan 1:1000

STORYTELLERS

The Complexity of Context

JAVIER MOZAS

Storytellers are
those buildings which
speak from the eye
and the mind of the
architect. The richer,
the more settled
their references, the
more playful and
imaginative their
connections with
reality, culture or
history, and the more
unexpected facets
to be discovered by
spectators as they
try to decipher the
buildings' codes.

Los Contadores
de Historias son
aquellos edificios
que hablan a partir
del ojo y del cerebro
del arquitecto.
Cuanto más ricas
y asentadas estén
sus referencias,
cuanto más jugosas
e imaginativas sean
sus conexiones con
la realidad, la cultura
o la historia, más
facetas inesperadas
descubrirá el
espectador que
intente descifrar sus
códigos.

In the 1970s Aldo Rossi believed in an
approach to architecture with a historic
sensibility, with a view towards tradition,
towards the setting. He was involved
with a group of friends, including Giorgio
Grassi and Carlo Aymonino, which
advocated reinstating the simple forms
of architecture as the rational and
archetypal forms, albeit in combination
with each other in a subjective and
complex manner. This approach enabled
the construction of analogous cities with,
be they real or imaginary, recognizable
elements and architectures which would
more effectively transmit the desires and
memory of a collective.
How is it possible to retain an
atmosphere, in this case that of St.
Pauli, one of the most indomitable areas
on Europe? If we bear in mind that at
the turn of the last century any urban
intervention on a site such as east
Hamburg would have involved relentless
demolition works, at the present moment
in time more imaginative more complex
solutions are required as an alternative
to the former market-driven methods.
The NL and BeL plan for Spielbudenplatz
first collects and distils these concerns,
then factors in the essential architectural
elements before finally transforming
them into spaces and forms built
with inherent identity and meaning,
incorporating memory and context as
project materials. For this to succeed
it is necessary to create a harmonious
concordance between all the actors
involved and here this has been the case.

Para Aldo Rossi, en los años setenta,
existía una manera de hacer arquitectura,
con sensibilidad histórica, con una
mirada hacia la tradición, hacia el lugar,
en la que estaba involucrado un grupo
de amigos, como Giorgio Grassi y Carlo
Aymonino, que propugnaban recuperar
las formas simples de la arquitectura
como formas racionales y arquetípicas,
aunque combinadas de manera subjetiva
y compleja. Así se podrían construir
ciudades análogas con elementos y
arquitecturas reconocibles, reales o
imaginadas que transmitirían mejor los
deseos y la memoria de una colectividad.
¿Cómo se puede mantener una
atmósfera, la atmósfera de St. Pauli, uno
de los barrios indomables de Europa?
Teniendo en cuenta que la intervención
urbana en un emplazamiento como
éste de Hamburgo, a finales del siglo
pasado, hubiera sido la demolición
sin contemplaciones, el momento que
estamos viviendo exige soluciones más
imaginativas y complejas, que den la
vuelta a esos métodos anteriores dirigidos
principalmente por el mercado.
El plan de NL y BeL para Spielbudenplatz
recoge y destila estas inquietudes y,
después de pasar por el tamiz especial
de las esencias arquitectónicas, hace que
se transformen en espacios y formas
construidas con identidad y significado.
La memoria y el contexto se han
convertido en materiales del proyecto.
Para eso, se tiene que producir una
concordancia armónica entre todos los
agentes involucrados. Y así ha sido.

THE ETERNAL CITY

"... Rossi and his followers (Grassi, Scolari) for whom drawings are already architecture; the diagram loses its descriptive value, as the proof of a fact, as the transmitter of a specific construction technique, to become a 'deployment of the elements of architecture' in the field of a hypothetical eternal city: how else could we interpret the drawing by Cantàfora, or so many others of the broad 'tendeza' in the XV Triennale".

"... Rossi y sus seguidores (Grassi, Scolari) para quienes los dibujos son ya arquitectura; el dibujo pierde su valor como descripción, como comprobación de un hecho, como transmisor de una determinada técnica constructiva, para convertirse en 'despliegue de los elementos de arquitectura' en el campo de una, hipotética eterna ciudad: no de otro modo puede entenderse el dibujo de Cantàfora, o tantos otros de la amplia 'tendeza' en la XV Triennale".

RAFAEL MONEO
"Gregotti&Rossi" in *Arquitecturas bis*
n° 4, 1974. p. 3

PLOT 1 SPIELBUDENPLATZ.
NL/BeL.
St Pauli, Hamburg, 2016.
(Project on pages 114-117)

NL/BeL
Two views of Spielbudenplatz.
Development of the Urban plan, 2016

COMPLEXITY OF THE CITY

"Complexity is naturally co-substantive of the city. This, its first distinctive characteristic of undefinable magnitude, is immediately evident from its heterogeneous, multiple and contradictory togetherness: heterogeneous its representation, form and scale dimensions; multiple its contours, orientations, centres, symmetries and vanishing points; contradictory and conflictual its ordering principles."

"La complejidad es naturalmente co-substantiva a la ciudad. Esta, su primera característica distintiva de magnitud indefinible, se evidencia inmediatamente a partir de su heterogénea, múltiple y contradictoria unión: heterogénea es su representación sus dimensiones, forma y escala; múltiples sus contornos, orientaciones, centros, simetrías y puntos de fuga; contradictorios y conflictivos sus principios ordenadores."

FABIO REINHART
Captions for the "Analogous city". Published in *The Analogous City. The Map* by Dario Rodighiero. May 2015.

ANACHRONISMS

NL and BeL have used both their own architectural references and interpretation of reality in the act of creating the form in order to produce the analogous city.

The images of the Grand Hôtel de la Plage, of the Chelsea Hotel, of the Joseph Curran annex, or of the Haus Vaterland, and also the renowned representations of a rainy Paris street scene, or of people basking in the sun facing an Arizona landscape are elements which are as architectural as the prefabricated acoustic panels of the café-museum facade. As in the case of the *City of the Captive Globe*, it is theoretical interpretations of the world which construct reality and which hold our desires and aspirations captive.

In the work by NL and BeL for Spielbudenplatz, there is a surprising mix within one single montage, 1990s youths with satin bomber jackets walking towards the alley between the hotel and the youth hostel and an upper-class late 19th Century Parisian couple holding an umbrella. This couple, in the foreground, and on the right-hand side of the image, seem more suitably attired to attend a show at the Opera Garnier than to wander around the rainy streets of Paris. It is uncommon to encounter this type of silhouette inserts among rendered architectural images. Transposing these people to the St. Pauli area of Hamburg evokes countless opportunities for those encounters that enhance urban living. The Elbphilharmonie building is located less than 2 kilometres from Spielbudenplatz and the construction of this new music palace is having its inevitable effects on the St. Pauli area. The entirely intentional, anachronism merely reflects the broad scope of the debate within contemporary architecture. Volumes, forms, types, processes which required interpreting and composing within a historical

ANACRONISMOS

NL y BeL han utilizado sus propias referencias arquitectónicas y su interpretación de la realidad en el acto de creación de la forma para producir su ciudad análoga.

Las imágenes del Grand Hôtel de la Plage, del Chelsea Hotel, del anexo al edificio Joseph Curran, o de la Haus Vaterland, y también las representaciones conocidas de una calle de París en tiempo de lluvia, o de gente tomando el sol frente a un paisaje de Arizona son elementos tan arquitectónicos como los paneles acústicos prefabricados de la fachada del café-museo. Como en la *Ciudad del Globo Cautivo*, en este caso, son las interpretaciones teóricas del mundo las que construyen la realidad y las que mantienen presos nuestros anhelos y aspiraciones.

En el trabajo de NL y Bel para Spielbudenplatz, sorprende la mezcla, en un mismo montaje, de unos jóvenes de los años noventa con cazadoras satinadas caminando hacia el callejón entre el hotel y el albergue juvenil y de una pareja de parisinos de finales del siglo XIX, de clase alta y con paraguas. Esta pareja, en primer plano, a la derecha de la imagen, está vestida, más para asistir a una representación en la Ópera Garnier, que para deambular por las calles lluviosas de París. No es habitual que se produzcan este tipo de inserciones de siluetas en las imágenes de arquitectura. La trasposición de estos personajes al barrio de St. Pauli en Hamburgo evoca la inmensa posibilidad de encuentros que potencia la vida urbana. El edificio de la Elbphilharmonie se encuentra a poco más de 2 kilómetros de Spielbudenplatz y la construcción de este nuevo palacio de la música está afectando ineludiblemente al barrio de St. Pauli. El anacronismo, a todas luces intencionado, no refleja más que la amplitud del campo en el que se debate la arquitectura actual. Volúmenes, formas, tipos y procesos se deben interpretar y componer a la luz del entendimiento de la historia, el encaje en

Rue de Paris, Temps de Pluie 1877. Gustave Caillebotte

When Caillebotte painted this urban scene he was closer to Realism than Impressionism. This way, the flat colours of the building facades become precursors to Edward Hopper's characteristic way of interpreting the city thirty years later. The urban perspectives and the originality of the viewpoints in his pictures represent architectural visions of the uniformization of Paris in the second half of the 19th Century. The Haussmann blocks recreate a monotonous atmosphere which is lived intensely by citizens. The paved streets with their separate circulation areas are thus converted into urban living rooms made safe for walking and leisure activities.

Cuando Caillebotte pintó esta escena urbana estaba más próximo al Realismo que al Impresionismo. Los colores planos de las fachadas de los edificios preceden a esa manera de interpretar la ciudad que caracterizaría a Edward Hopper treinta años más tarde. Las perspectivas urbanas y la originalidad de los puntos de vista de sus cuadros representan visiones arquitectónicas de la uniformización de París en la segunda mitad del siglo XIX. Las manzanas haussmannianas recrean una atmósfera monótona, pero intensamente vivida por los ciudadanos. Las calles, pavimentadas y con separación de circulaciones, se convierten así en salones urbanos seguros para el paseo y el ocio.

ART INSTITUTE OF CHICAGO

Summertime 1943. Edward Hopper

Edward Hopper visited Paris three times and of the 40 canvases he painted during these visits, most were dedicated to the Louvre. He had first-hand knowledge of the Impressionists but resisted any influence from their technique. His absent characters gazing out towards infinity seem existentially unsatisfied. He painted *Summertime* at the height of the Second World War at a time when the Great Depression had officially ended. The simple bare steps, upon which Hopper's wife, Josephine Nivison is standing, bear the weight of modern desperation and as such are devoid of any friendly gesture.

Edward Hopper estuvo tres veces en París y de los 40 lienzos que pintó en esas visitas, la mayoría, estuvieron dedicados al Louvre. Conoció de primera mano a los impresionistas, pero no se dejó llevar por su técnica. Sus personajes ausentes y mirando al infinito, respiran una insatisfacción existencial. Pintó *Summertime* en plena Segunda Guerra Mundial, cuando se dio por terminada oficialmente la Gran Depresión. Los escalones simples y descarnados, donde se encuentra Josephine Nivison, la mujer de Hopper, soportan la desesperanza moderna sin ningún gesto amigable.

DELAWARE ART MUSEUM

People in the Sun 1963. Edward Hopper

These five hotel guests, or tourists, with no communication between each other, merely reiterate the modern nostalgia for the lost paradise they are trying to encounter beyond the horizon. Five people in street clothes, as if they were in Washington Square Park, New York, sunbathing in formation, contemplating the distant Arizona mountains. Nothing could reflect more succinctly the codes and situations imposed on contemporary society by mass tourism.

Estos cinco huéspedes de hotel, o turistas, incomunicados entre sí, no hacen más que reiterar la nostalgia moderna por el paraíso perdido que pretenden descubrir detrás del horizonte. Cinco personajes vestidos de calle, como si estuvieran en Washington Square Park de Nueva York, tomando el sol en formación y contemplando las montañas lejanas de Arizona. Nada puede reflejar mejor los códigos que impone y las situaciones a las que obliga el turismo de masas a la sociedad contemporánea.

SMITHSONIAN AMERICAN ART MUSEUM

understanding, are adapted to the context, the diversity of users, the introduction of new ways of living, the freedom of choice, the coexistence of opposites, the financial balance, the implementation of new technology... All these nuances add complexity to the architectural decision-making process and leave the path wide open to future modifications and adjustments. Young alternative music fans and opera lovers coincide in space and time and architecture bears witness to this encounter.

el contexto, la diversidad de usuarios, la introducción de nuevas formas de vida, la libertad de elección, la coexistencia de opuestos, el equilibrio económico, la implantación de nuevas tecnologías... Todos estos matices añaden complejidad a la toma de decisiones arquitectónicas y dejan el camino enormemente abierto a modificaciones y ajustes futuros. Jóvenes consumidores de música alternativa y amantes de la ópera coinciden en el espacio y el tiempo y la arquitectura es testigo de ese encuentro.

Red Light Quartier by Day

PAMPHLET AESTHETIC

"We chose not to use the usual glossy render techniques... but to try something new: a kind of rough pamphlet aesthetic. (Although new... perhaps old school [would be a] better word)... We thought it was very refreshing to see something beyond hyper reality. It still leaves space for the imagination (something the jury mentioned specifically as a pro, so [the graphics] served their purpose)."

"Escogimos no utilizar las técnicas habituales de visualizaciones glamurosas... sino que intentamos algo nuevo: una especie de estética de folleto basto. (Aunque nueva... tal vez como de vieja escuela (podría ser) una mejor definición)... Pensamos que era mucho más inspirador ver más allá de la hiper-realidad, algo que todavía dejara espacio para la imaginación (esto fue valorado especialmente por el jurado como una ventaja, por eso (la gráfica) encajó con su propósito)."

KAMIEL KLAASSE
Principal at NL architects quoted in: "Why NL Architects + BeL's winning proposal for Hamburg's St. Pauli won't win you over with glossy renders?" by Vladimir Gintoff, *Archdaily*, 08.11.2015.

The tourists in Aperol deck chairs in the red NL and BeL montages are a replica of the people basking in the sun in Edward Hopper's *People in the sun*. The intensive use of free space in the city as space for relaxation hints at the opportunity of filtering the suggestions made for this St. Pauli block out into the whole neighbourhood. Red, the colour of the red-light district, the colour of the adverts for the Man Wah, the Chinese restaurant on the corner, which stand out as decorative elements on grey architecture. Real photos of the local buildings and a lone migrant, also grey, palm tree which appears as an oopart (out of place artefact) as anachronistic as Caillebotte's figures.

Los turistas en las hamacas de Aperol de uno de los montajes rojos de NL y Bel son la réplica de los personajes sentados al sol en *People in the sun* de Edward Hopper. La utilización intensiva del espacio libre de la ciudad como espacio de relación sugiere la oportunidad de infiltración de las sugerencias planteadas para esta manzana de St. Pauli a todo el barrio. Rojo, por barrio rojo, por revolución roja, por anuncios rojos del restaurante chino Man Wah de la esquina, que destacan todos como elementos decorativos sobre una arquitectura gris. Fotografías reales de los edificios del entorno y una solitaria palmera emigrada, también gris, que aparece como un *oopart (out of place artifact)*, igual de anacrónica que los figurantes de Caillebotte.

Red Light Quartier by Night

Red explosion of nightlife. Night as day; the red-light district never sleeps. The old-timers have gone to bed. The hotel and the youth hostel with their neon red lights eclipse the architecture of the Tanzende Türme (Dancing Towers) by Hadi Teherani. Music, dance and performance take place in the street, in the famous Reeperbahn pleasure mile.

Explosión en rojo de la vida nocturna. La noche como si fuera de día, porque en el barrio rojo no se descansa. Ya se han acostado los viejos. El hotel y el albergue para jóvenes con sus luminosos de neón rojo eclipsan la arquitectura de la Tanzende Türme (Torres danzantes) de Hadi Teherani. La música, el baile y el espectáculo están en la calle, en la famosa milla del placer de Reeperbahn.

FOUR REPRESENTATIONS FOR ONE SINGLE SPACE
The representation of the NL and BeL plan for Spielbudenplatz explores paths far removed from the photographic realism prevalent in many architectural competitions. The graphical expression communicates a meaning which is multicultural, alternative, anti-gentrification, underground culture-friendly, diverse, nocturnal... very different to the case of HafenCity, Hamburg.

CUATRO REPRESENTACIONES PARA UN MISMO ESPACIO
La representación del plan de NL y Bel para Spielbudenplatz explora caminos que se apartan claramente del realismo fotográfico imperante en muchos concursos de arquitectura. La expresión gráfica comunica un significado: multicultural, alternativo, opuesto a la gentrificación, abierto a la cultura *underground*, inclusivo, nocturno... como oposición a lo que se está desarrollando en la HafenCity de Hamburgo.

American Realism

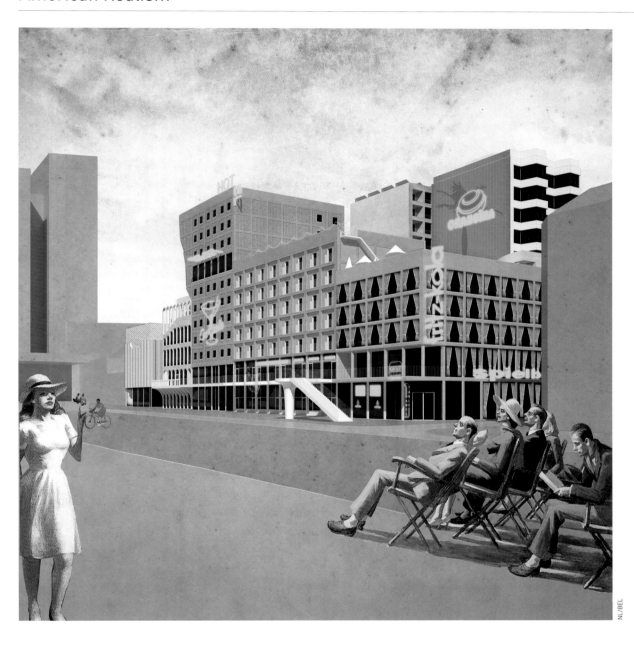

Characters created by Edward Hopper, interrogating each other as to the meaning of life. Quasi-deserted public space. Surrounding buildings merely hinted at by their volume. Blue skies with intense grey stains. Architectures proposed with flat colours in line with Edward Hopper's American Realism.

Personajes de Edward Hopper, que se interrogan por el sentido de la existencia. Espacio público casi desértico. Edificios del entorno solo sugeridos en volumen. Cielos de color azul con manchas grises intensas. Arquitecturas propuestas con colores planos en la línea del realismo americano de Hopper.

NL/BEL

European Political Correctness

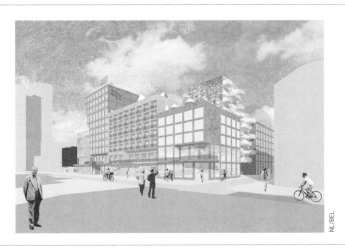

Cyclists not having to compete with cars. A father looking after his two children. An old man leisurely analysing the observer. Conventional youths in casual dress and tourists curiously observing the architecture.

Ciclistas sin competencia con el automóvil. Padre al cargo de dos niños. Anciano ocioso analizando al observador. Jóvenes convencionales en atuendos informales y turistas curioseando la arquitectura.

NL/BEL

Capriccio Palladiano 1756-1759. Canaletto

GALLERIA NAZIONALE DI PARMA

This caprice is an ideal image of Venice painted by Canaletto in the mid-18th Century representing two buildings constructed by Palladiano: the Chiericati Palace and the Vicenza Basilica standing either side of an unbuilt project for the Rialto Bridge in Venice, also by Andrea Palladino.

Aldo Rossi wrote that "the capacity of the imagination is born from the concrete"[1]. With this proposal he comments that, in this Canaletto painting, an imaginary ideal Venice is depicted, superimposed over the real Venice. Rossi also states that this painting-collage gives shape to a city built on projects and things which are both real and invented, which invite comparison and propose an alternative to the existing form.

1. Aldo Rossi, "The analogous city: panel." *Lotus International*. Editoriale Lotus, Milán. Diciembre 1976, n. 13, pp. 5-8.

Este capricho es una imagen ideal de Venecia pintada por Canaletto a mediados del siglo XVIII, que representa dos edificios palladianos construidos: el palacio Chiericati y la Basílica de Vicenza, colocados a ambos lados de un proyecto no construido para el puente de Rialto en Venecia, también de Andrea Palladio.

Aldo Rossi ha escrito que "la capacidad de la imaginación nace de lo concreto"[1]. Con ese propósito comenta que, en este cuadro de Canaletto, se dibuja una Venecia imaginada, ideal, superpuesta a la Venecia real. Rossi señala también, que esta pintura-collage da forma a una ciudad construida a base de proyectos y cosas, que son tanto reales como inventadas, que se traen a colación y que proponen una alternativa a lo existente.

MUSEO DEL NOVECENTO

La Città Analoga 1973. Arduino Cantàfora

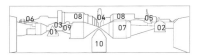

Significant buildings and ensembles which can be identified in this vision of La città analoga.
01 Pyramid of Caius Cestius, Rome, 12 BC.
02 The Pantheon, Rome, 118-125 AD.
03 Royal Villa, Giuseppe Piermarini, Monza, 1777-1780.
04 Conical Tower, Étienne-Louis Boullée, 1781-1793.
05 Mole Antonelliana, Alessandro Antonelli, Turin, 1863-1888.
06 AEG Factory, Peter Behrens, Berlin, 1908-1910.
07 House on Michaelerplatz, Adolf Loos, Vienna, 1909-1911.
08 Grossstadt Architektur, Ludwig Hilberseimer, 1927.
09 Casa del Fascio, Giuseppe Terragni, Como, 1932-1936.
10 Monument to the Partisans, Aldo Rossi, Segrate, 1965.
11 Gallaratese Housing Block, Aldo Rossi, Milan, 1972.

1. It can be confused, to have the same name, with the collage: *La città analoga: tavola*, de Aldo Rossi, Fabio Reinhart, Bruno Reichlin y Eraldo Consolascio para la Biennale di Venezia, 1976.
Se puede confundir, por tener el mismo nombre, con el collage: *La città analoga: tavola*, de Aldo Rossi, Fabio Reinhart, Bruno Reichlin y Eraldo Consolascio para la Biennale di Venezia, 1976.

Arduino Cantàfora worked in Rossi's studio between 1973 and 1978. In his first year he created *La città analoga*[1], a picture-manifesto hung at the centre of the international architecture section at the XV Triennale which was held in the Palazzo dell'Arte, Milan in 1973. The exhibition, based mostly on the ideas of Aldo Rossi, proposed that the relationship between Time and Architecture be re-established and that History be reinstated in the city-building process. This painting brings together historical architectures and is the referential image for a new ideological proposal. The canvas, in three parts, concedes an important role to collective housing in dense high-rise blocks, where residential use is the main configurator of the city. Urban identity is substantially entrusted to public architecture which structures and defines the visuals. The axis of the front perspective goes from one monument to another, from Rossi to Boullée, from Neo-classical to Neo-rational, ignoring other contemporary, mainly British and American, less historical and more technological, movements. However, hard-line central European architectures, far removed from the ornamental, do figure here such as Behrens, Loos and Hilberseimer in that their content fails to compromise regarding figurative elements. The analogous city is a subjective collage made up of real or virtual elementary forms which aim to become the continuer of tradition. This is the imagined city forming the basis for a new urban project, a city built with references extracted from ideologically controlled sources.

Arduino Cantàfora estuvo trabajando en el estudio de Aldo Rossi desde 1973 a 1978. Durante el primer año realizó *La città analoga*[1], cuadro-manifiesto colocado en el centro de la sección internacional de arquitectura de la XV Triennale, que se expuso en el Palazzo dell'Arte de Milán en 1973. La exposición, sustentada principalmente en las ideas de Aldo Rossi, se propuso restablecer la relación entre Tiempo y Arquitectura y recuperar la Historia para el proceso de construcción de la ciudad. Este cuadro combina arquitecturas históricas y compone la imagen de referencia de una nueva propuesta ideológica, que asegura la continuidad del racionalismo en arquitectura. La tela, en tres partes, concede una importancia destacada a la vivienda colectiva en bloques densos y de gran altura, donde el uso residencial es el principal configurador de la ciudad. La identidad urbana se encomienda sustancialmente a la arquitectura pública, que estructura y define las visuales. El eje de la perspectiva frontal va de un monumento a otro, de Rossi a Boullée, del Neoclasicismo al Neoracionalismo y salta por encima de otros movimientos contemporáneos (ignorándolos), principalmente británicos y americanos, menos historicistas y más tecnológicos. Las que sí tienen cabida son las arquitecturas centro-europeas de línea dura, alejadas del ornamento, como son las de Behrens, Loos e Hilberseimer por su contenido sin concesiones a elementos figurativos. La ciudad análoga es un collage subjetivo de formas elementales, reales o virtuales, cuya ambición es convertirse en el continuador de la tradición. Se trata de la ciudad imaginada como base de un nuevo proyecto urbano, una ciudad construida con referencias extraídas de unas procedencias ideológicamente controladas.

The City of the Captive Globe 1972. Rem Koolhaas, Madelon Vriesendorp with Zoe Zenghelis

The City of the Captive Globe is an attempt to validate the architectural-artistic avant-gardes of the 1920s and 1930s as a model for the creation of a dense culturally intense city. This axonometric representation, far more abstract than the cone-shaped perspective of *La città analoga*, proposes mainly buildings-icons standing on black granite podia. The base which fills in each square in the grid is identical and from here different utopias rise up. The layout and the roads are fixed and the only variety permitted is the setback of the podium. They appear to be pavilions at a trade fair displaying their arrogance. Each building has its own value; its relationship with the city is deemed worthless. Unlike the case of *La Città analoga*, manhattanism

and congestion do not require intensive residential use. In *The City of the Captive Globe*, life suffers the continuity of a restless body, relentless activity. The city would be mostly dedicated to creations of the mind which would be responsible for its development and transformation. In this case, it is the theoretical interpretations of the world that construct reality and which hold the globe captive.
In 1994 Madelon Vriesendorp created a revised version of the City of the Captive Globe for a show at the Centre Pompidou in Paris. It is different to the original in that Vriesendorp sneaked a version of the skeleton of the project presented by Rem Koolhaas for the Grand Bibliothèque competition into one of the blocks.

La Ciudad del Globo Cautivo es un intento de dar validez a las vanguardias arquitectónico-artísticas de las décadas de los años veinte y treinta del siglo XX, como modelo para crear una ciudad densa y culturalmente intensa. La representación en axonométrica, mucho más abstracta que la perspectiva cónica de *La Città analoga*, plantea, en la mayoría de los casos, edificios-icónicos sobre podios de granito negro. La base que rellena cada recuadro de la retícula es idéntica y a partir de ahí ascienden utopías diversas. Trama y viario son fijos y la variedad solo se permite a partir del retranqueo del podio. Aparentan ser los pabellones de una feria de muestras exhibiendo su arrogancia. Cada edificio tiene valor en sí mismo, sin que importe su relación con la ciudad. A diferencia de lo que sucede con *La Città analoga*, el manhattanismo y la congestión

no necesitan un uso residencial intensivo. En la *Ciudad del Globo Cautivo*, la vida padece la continuidad de un cuerpo sin descanso, donde existe una actividad continua. La ciudad estaría principalmente dedicada a la producción de la mente, que sería la encargada de su desarrollo y transformación. En este caso, las interpretaciones teóricas del mundo son las que construyen la realidad y las que mantienen cautivo al globo terrestre. Madelon Vriesendorp realizó en 1994 una versión revisada de *La Ciudad del Globo Cautivo* para una exposición en el Centro Pompidou de París. La diferencia con la original es que Vriesendorp colocó en una manzana de la trama una versión de la estructura del proyecto que Rem Koolhaas presentó al concurso de la Grand Bibliothèque.

Significant buildings and ensembles which can be identified in this vision of *The City of the Captive Globe*.
01 Religion in ruins.
02 A subconscious portrait of Oswald Mathias Ungers' architecture.
03 Two towers of Le Corbusier's Plan Voisin, 1922-1925, in the grass.
04 The Cabinet of Dr. Caligari, 1920.
05 The Waldorf-Astoria Hotel, 1931.
06 Homage to Mies van der Rohe.
07 Dalí's Architectural Angelus, 1933.
08 Ivan Leonidov's Ministry of Heavy Industry, 1934.
09 El Lissitzky's Lenin's stand, 1930.
10 Outdoor indoor.
11 Malevitch's Gota Architekton, 1923.
12 RCA Building, Rockefeller Center, 1933.
13 Homage to Superstudio.
14 Trylon and Perisphere by Wallace Harrison, 1939.

Spielbudenplatz Urban Plan

NLarchitects
BeL Sozietät für Architektur
St Pauli, Hamburg (Germany), 2015

The urban plan is based on a strategy of small parcels, *'Kleinteilig',* in order to guarantee diversity. Specific residential typologies are organized in a range of coherent independent buildings. Within each building the units are simply stacked; the internal simplicity will keep the apartments affordable. Residents with similar lifestyles will share one building; the homogeneity within each building meets the heterogeneity of the entire complex on the streets.

The front door is the interface between public and private. The number of doors determines the degree of mixture in the public domain: more doors means greater diversity and more potential interaction in the street. The street is the stage for public interaction. The resulting urban complexity is an instrument of tolerance.

The overall plot will be subdivided into four properties, assorted according to their usage. This so-called *Realteilung* is deployed both as a social and an economic tool. The hotel is placed along the always hectic public square called Spielbudenplatz, the subsidized housing along the more quiet Taubenstrasse and Kastanienallee and the rental and Co-op along Kastanienallee and the Quartiersstrasse, the quintessence of the proposal: a new street.

El plan urbano se basa en una estrategia de pequeñas parcelas, *'Kleinteilig',* que garantizan la diversidad. Las tipologías residenciales específicas se organizan en una serie de edificios independientes y coherentes. Dentro de cada edificio las unidades están simplemente apiladas; la sencillez interna conseguirá viviendas asequibles. Los residentes con estilo de vida similar compartirán un edificio; La homogeneidad dentro de cada edificio contrasta con la heterogeneidad del conjunto.

La puerta de entrada es la interfaz entre lo público y privado. El número de puertas determina el grado de mezcla en el dominio público: más puertas significa mayor diversidad y más interacción potencial en la calle. La calle es el escenario para la interacción pública. La complejidad urbana resultante es un instrumento de tolerancia.

La parcela general se subdividirá en cuatro propiedades, clasificadas según su uso. El denominado *Realteilung* se usa como una herramienta social y económica. El hotel está situado en la Spielbudenplatz, la vivienda subvencionada en Taubenstrasse y Kastanienallee y el alquiler y el cohousing en la Kastanienallee y la Quartiersstrasse, la quintaesencia de la propuesta: una calle nueva.

1:50000

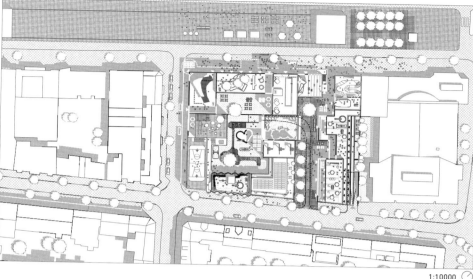

1:10000

Plan BUDE Timeline

1961 The complex known as EssoHaüser, designed by Herbert
Grossner and Hanns Sitch, is completed with 110
apartments in two eight-storey prefabricated blocks.
The name comes from an Esso petrol station, which had a
store, open 24 hours 365 days a year, at the corner of the
block which was very popular with local residents.
2009 The Bavarian real estate firm Bayerische Hausbau GmbH
& Co. KG purchases the whole EssoHaüser complex.
2011 The local residents and citizens affected present a report
for the complex to be preserved.
2013 The EssoHäuser complex is declared in danger of collapse
by a group of experts commissioned by Bayerische
Hausbau. The housing complex is evacuated and emptied.
2014 A very active grassroots movement emerges to fight
against real estate speculation and the area's loss of
identity. The Essohäuser buildings are demolished.
The owners Bayerische Hausbau reach an agreement
with the local residents and associations involved to
ensure that the new plan contains 50% social housing.
An agreement is reached to hold a bottom-up citizen
participation process handing over the initiative to
local residents and associations. This collective effort
produces a plan of action known as the Plan Bude. Based
on research carried out for the Plan Bude, it is decided
to hold a competition for architects whose Terms and
Conditions, otherwise known as the St. Pauli Code, are
drawn up independently by the community.
2015 The results of the Master Plan competition are unanimous.
The architecture studios winning the competition for the
Urban Plan:
First prize: NL Architects, Amsterdam and BeL Sozietät
für Architektur, Cologne
Second prize: coidoarchitekten, Hamburg
Third prize: feld72 architekten ZT GmbH, Vienna.

1961 Se completa el conjunto conocido como Esso Häuser,
diseñado por Herbert Grossner y Hanns Sitch, con 110
apartamentos en dos bloques prefabricados de ocho
plantas.
El nombre proviene de una gasolinera de la empresa
petrolera Esso, con una tienda abierta veinticuatro horas
todos los días del año en una de las esquinas de la
manzana, que era muy popular y que atraía continuamente
a la gente del barrio
2009 La empresa inmobiliaria bávara Bayerische Hausbau
GmbH & Co. KG se hace con la propiedad del conjunto de
las Esso Häuser.
2011 Los ciudadanos del barrio y vecinos afectados presentan
un informe para que el complejo sea conservado.
2013 Las Esso Häuser se declaran, por un grupo de expertos,
a instancias de Bayerische Hausbau, en peligro de
derrumbamiento. El complejo de viviendas es evacuado y
vaciado.
2014 Surge un movimiento ciudadano muy combativo frente a
la especulación inmobiliaria y a la pérdida de identidad del
barrio. Se derriban los edificios que constituyen las Esso
Häuser.
La propiedad, Bayerische Hausbau, llega a un acuerdo
con los vecinos y asociaciones implicadas para respetar
un 50% de vivienda social en el nuevo plan. Se acuerda
establecer un proceso de participación ciudadana de
abajo hacia arriba que otorgue la iniciativa a vecinos
y asociaciones. Este esfuerzo colectivo produce como
resultado un plan de actuación, conocido como el Plan
Bude. A partir de la investigación realizada por el Plan
Bude, se decide convocar un concurso entre arquitectos,
cuyo Pliego de Condiciones, el Código St. Pauli, es decidido
de manera independiente por la comunidad.
2015 Se decide por unanimidad el resultado del concurso del
Master Plan.
Estudios de arquitectura premiados en el concurso para el
Plan Urbano:
Primer premio: NL Architects, Amsterdam and BeL
Sozietät für Architektur, Cologne
Segundo premio: coido architekten, Hamburg
Tercer premio: feld72 architekten ZT GmbH, Vienna.

Herbert Grossner and Hanns Sitch.
Esso Häuser in St Pauli. Hamburg, 1961. Image taken in 2013.

Citizens drew on postcards their vision of the neighbourhood by
2020. The Night Cards reveal the desire of differentiated houses
versus complex of dwellings and especially usable roofs.
Los ciudadanos dibujaron en postales su visión del barrio para
2020. Las Postales Nocturnas revelan el deseo de casas diferenciadas frente a complejos de viviendas y sobre todo la utilización
de las cubiertas.

The preliminary process involved over 2000 contributions by St.
Pauli residents and others involved.
El proceso preliminar incluyó más de 2000 contribuciones de los
residentes de St. Pauli y de otros afectados.

The St. Pauli Code

1. Diversity instead of uniformity
2. Small-scaledness
3. Affordable instead of expensive
4. Originality and tolerance
5. Appropriation and vitality
6. Experimentation and subculture
7. Public space without consumerism

1. Diversidad en lugar de uniformidad
2. Pequeña escala
3. Asequible en lugar de caro
4. Originalidad y tolerancia
5. Apropiación y vitalidad
6. Experimentación y subcultura
7. Espacio público sin consumismo

BLOCK

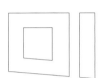

NEW NEIGHBOURHOOD STREET

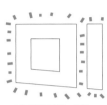

MAX SURFACE = MAX INTERFACE

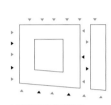

MANY FRONT DOORS = URBANITY

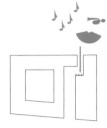

BAYONET = SOUND PROTECTION

STREET = SQUARE

HOMOGENOUS BLOCK

SMALL-SCALED BLOCKS

HEIGHT DIFFERENTIATION

DISTANCE LAW= DYNAMIC OUTLINE

INTERACTIVE POSITIONING

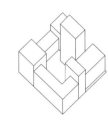

NEGOTIATION = VARIANTS

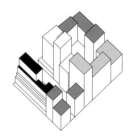

ROOFS: PUBLIC, COLLECTIVE, PRIVATE

GREEN ROOFS

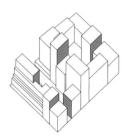

FIREWALLS

INTERFACE: DOORS AND 'INTELLIGENT' SURFACES

SORTING PER BUILDING BLOCK + INTERACTION IN THE STREET

COMPLEX = EXPENSIVE REPETITION = AFFORDABLE

PLOT AND BUILDING

PLOT AND 4 BUILDINGS

LAYOUT ACCORDING TO PROGRAMME

SUBDIVISION OF BUILDINGS

DISTRIBUTION OF SPACES

FIREWALLS

FIREWALL

The *Realteilung*, the subdivision in properties, results in a number of firewalls. These blind walls are often perceived as negative. But not in St. Pauli; here they are deployed as dynamic urban actors. They function as communications surface (for ads or art), as flipped floor (access and sports) or habitat (for plants and animals). They offer creative appropriation through painting, graffiti, stickers... or inhabitation: green wall, bird or bat nests, bee-hives.

MUROS MEDIANEROS

El *Realteilung*, la subdivisión en propiedades, da lugar a una serie de muros medianeros, que son a menudo percibidos como negativos. Pero no en St. Pauli; Aquí se despliegan como actores urbanos dinámicos. Funcionan como superficies de comunicación (para anuncios o arte), como un forjado girado (acceso y deportes) o hábitat (para plantas y animales). Ofrecen la apropiación creativa a través de la pintura, *graffiti*, pegatinas ... u ocupación: pared verde, nidos de pájaros o murciélagos, colmenas.

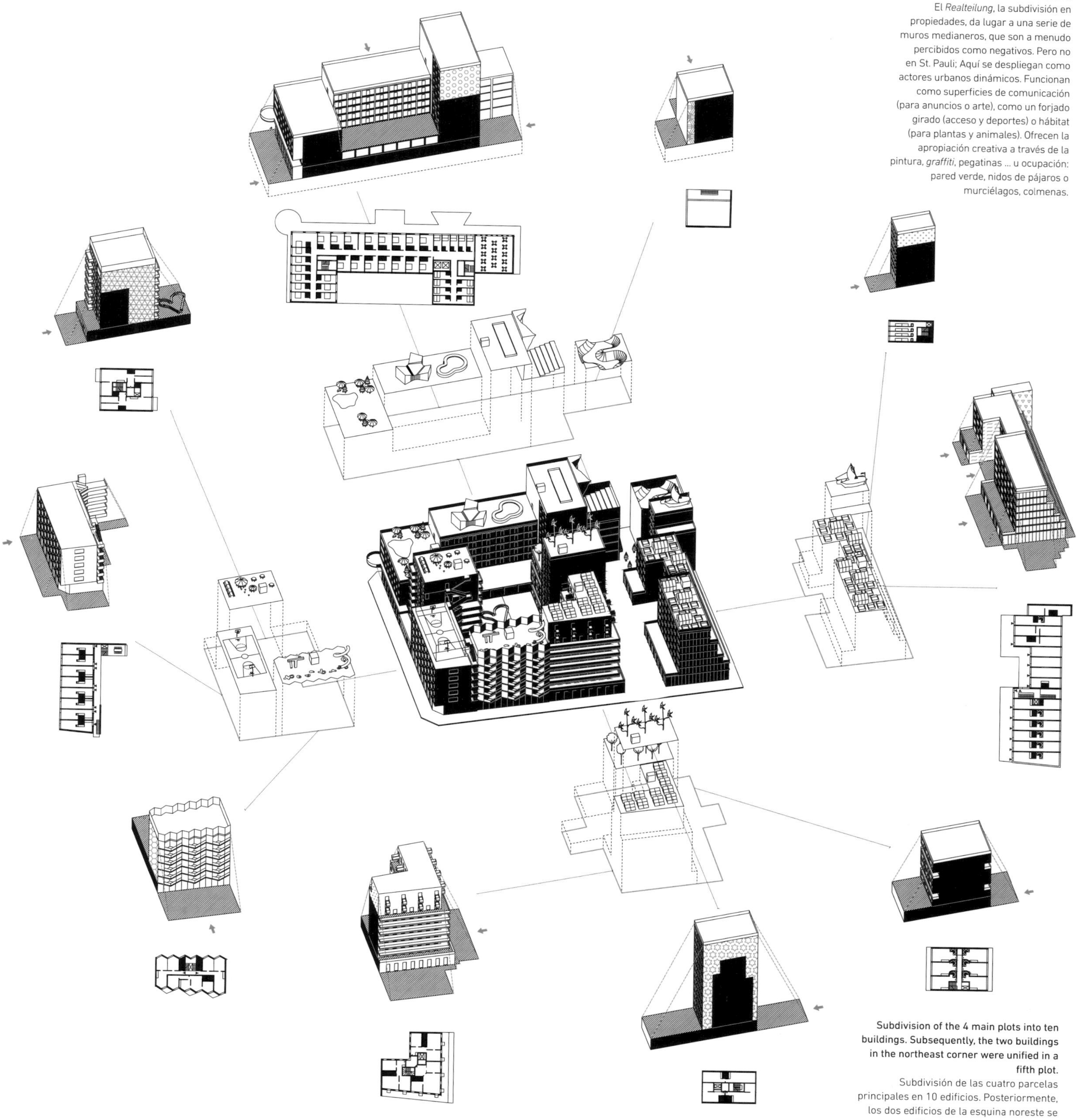

Subdivision of the 4 main plots into ten buildings. Subsequently, the two buildings in the northeast corner were unified in a fifth plot.
Subdivisión de las cuatro parcelas principales en 10 edificios. Posteriormente, los dos edificios de la esquina noreste se unificarían en una quinta parcela.

Spielbudenplatz

Development of the Urban plan, 2016

Plot 1: NL Architects and BeL Sozietät für Architektur (p. 114-117)

Plot 2: feld72 architekten (p. 118-121)

Plot 3: Building 3.1. Turm: Lacaton & Vassal
    Building 3.2. Eckhaus: NL Architects, and BeL Sozietät für Architektur
    Building 3.3. Zickzack: ifau + Jesko Fezer

Plot 4: ifau + Jesko Fezer

Plot 5: feld72 architekten (p. 122-125)

Elevation to Spielbudenplatz 1:1000

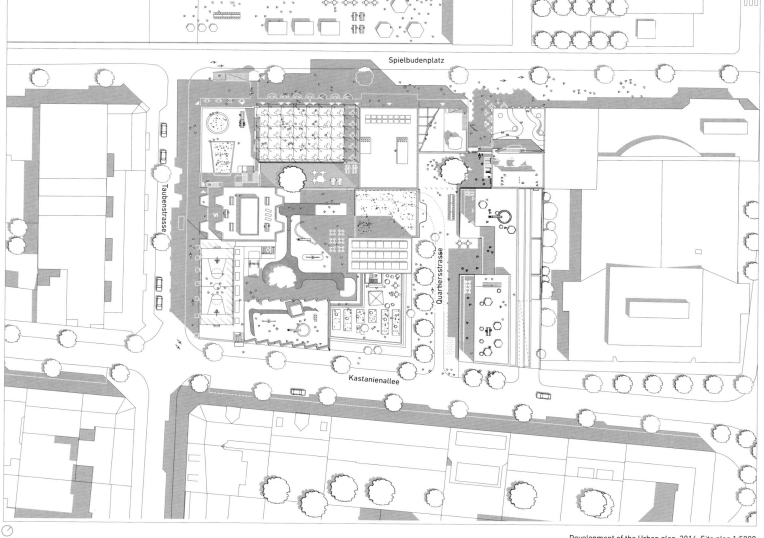

Development of the Urban plan, 2016. Site plan 1:5000

HISTORY AS A CORRIDOR

*"History presents itself as a curious instrument
whose knowledge seems indispensable yet once
acquired is not directly usable; a sort of corridor
through which one must pass to arrive but which
teaches us nothing about the art of walking."*

*"La historia se presenta como un curioso
instrumento cuyo conocimiento parece
indispensable, pero una vez adquirido, no es
directamente utilizable; una especie de corredor a
través del cual es necesario pasar para llegar, pero
que no nos enseña nada sobre el arte de andar."*

VITTORIO GREGOTTI
El territorio de la arquitectura. Gustavo Gili. 1972. p. 154.

NL/BeL. Spielbudenplatz. Development of the Urban plan. Plot 1, 2016

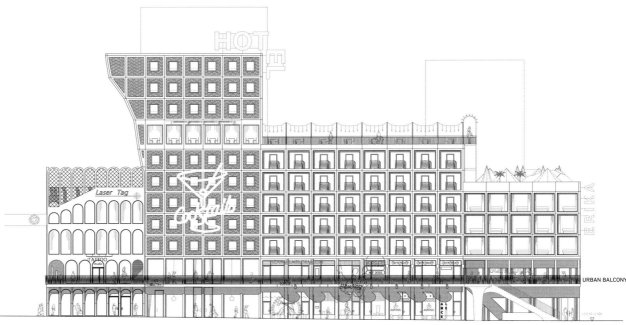

Elevation to Spielbudenplatz 1:500

Spielbudenplatz Plot 1

NLarchitects
BeL Sozietät für Architektur
St Pauli, Hamburg (Germany), 2016

Programme
Hotel
Offices

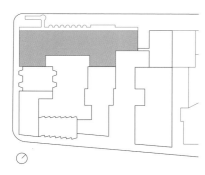

The density in the street is increased.
The street is a social mix of different fields of action. The St. Pauli area is made up of the different actors present in the street. The hotel is a hybrid also oriented towards the street. This has two noble storeys, one at street level and the other at 'urban balcony' level with a large number of doors. These two storeys are devoted to human activity where people can socialize and enjoy themselves.
Along the lines of the Vaterland House in 1920s Berlin, Plot 01 is designed to be an implosion of urban life foreseeing the engagement of all actors, both Hamburg citizens and tourists. The 'urban balcony' is a moving space.
The 'urban balcony' is both an elevated street and an elevated square with access from both sides. On the east side, the powerful 3D building with its spiral staircase towers over. On the west side, there is only a single staircase on top of the underground car park. From the top of the stairs there are views over the city.

The Grand Hôtel, the artists' hotel, the tower hotel and the loft are the references used. The hotel's ground floor foyer becomes a passageway between the Spielbudenplatz and the interior alley where small shops selling food and craft work breathe life into this semi-public space.
The 3D building is a rectangular version of the Leaning Tower of Pisa, a lone building, surrounded by columns, which opens up to the cityscape. The tower extends public space vertically. An exterior staircase, open to the public, independently connects certain areas to programmable uses. These areas are accessible from all levels.
Park Fiction 2.0 is a space which is open to all the citizens of Hamburg. Beginning in Tauben Street with a semi-concealed staircase, Park Fiction 2.0 goes from the ground floor to the outdoor space. It constitutes an optional habitat for plants and animals and is a fascinating climb for visitors.

La densidad se acumula en la calle. La calle es una mezcla social de diferentes campos de acción. El barrio de St. Pauli está formado por distintos actores que se encuentran en la calle. El hotel es un híbrido que está orientado también hacia la calle. Tiene dos plantas nobles, una al nivel de la calle y la otra al nivel del 'balcón urbano', con innumerables puertas. Estas dos plantas están dedicadas a actividades de la gente, donde pueden encontrarse y divertirse.
Siguiendo el ejemplo de la Vaterland House en el Berlín de los años veinte, la construcción en la Parcela 01 es una implosión de vida urbana, que involucra a todos los actores, habitantes de Hamburgo y turistas.
El 'balcón urbano' es un espacio en movimiento.
El 'balcón urbano' es a la vez una calle y una plaza elevadas, que tienen entradas por ambos lados. En el lado este, el potente edificio en 3D conduce hacia arriba con una escalera en espiral. En el lado oeste, solo hay una escalera solitaria encima del estacionamiento subterráneo. Desde arriba

de las escaleras se puede contemplar la ciudad.
El Grand Hôtel, el hotel de artistas, el hotel en torre y el loft son las referencias utilizadas. El acceso en planta baja del hotel crea un pasaje desde Spielbudenplatz hasta el callejón interior. Allí se pueden encontrar pequeñas tiendas, de artesanía y alimentación, que van a dar vida a este espacio semi-público.
El edificio 3D es una versión rectangular de la Torre inclinada de Pisa, un edificio solitario, rodeado de soportes, que se abre al pasaje. La torre expande el espacio público hacia la vertical. Una escalera exterior, de acceso libre, va conectando unas zonas con usos programables de manera libre. Estas áreas son accesibles en todos los niveles.
Park Fiction 2.0 es un espacio accesible para todos los ciudadanos de Hamburgo. Empieza en la calle Tauben con una escalera poco evidente. Park Fiction 2.0 va desde la planta baja hasta el espacio exterior. Constituye un hábitat opcional para plantas y animales y para los visitantes una fascinante ascensión.

Pleasure Palace of Haus Vaterland Postdamer Platz, Berlin, 1928-1943

This multipurpose building was a pleasure and fun palace in Potsdamer Platz, Berlin. It was fully functional for fifteen years and was later demolished in the mid-1970s. Housing the largest café in the world at that time, a cinema and several themed restaurants, like Luna Park in Coney Island, Brooklyn, the Haus Vaterland was the perfect place to transform the provincialism of an early 20th century city into the cosmopolitanism of a contemporary city. Inside the building there was a continuous stream of urban life, with some 8,000 people being served with an assembly line-like precision.

Este edificio multiusos fue un palacio para el placer y la diversión situado en la Postdamer Platz de Berlín. Tuvo una vida útil de quince años y fue completamente demolido a mediados de los años setenta del siglo pasado. Incluía el mayor café del mundo en su época, una sala de cine y varios restaurantes temáticos. Siguiendo el ejemplo del Luna Park de Coney Island, en Brooklyn, Haus Vaterland era el sitio perfecto para transformar el provincianismo de una ciudad de principios del siglo XX en el cosmopolitismo de una urbe contemporánea. Dentro del edificio se detectaba una explosión continua de vida urbana servida con la precisión de una cadena de montaje, que atendía a las demandas de unas 8.000 personas.

Grand Hôtel de la Plage Knocke-sur-Mer, Belgium

Knocke-sur-Mer was a town popular with artists from the late 19th Century onwards. The Realist painter Alfred Verwee moved there in 1880 and created the Knocke Painters' Colony. During the tourist season a large number of artists gathered around this circle. In 1895, Edvard Munch stayed in this spa town for a few days and it is fairly likely that he visited the Grand Hôtel. Joseph Conrad finished the novel Lord Jim in one of the hotel rooms in summer 1900. The Grand Hôtel had 170 rooms, a gymnasium, and a restaurant in a seven-storey building by the North sea. It was one of the few hotels with a long tradition of combining leisure and art in northern Europe.

Knocke-sur-Mer fue una localidad muy visitada por artistas desde finales del siglo XIX. El pintor realista Alfred Verwee se trasladó allí en 1880 y creó la Colonia de pintores de Knocke. En torno a este círculo se congregaban en temporada turística numerosos artistas. En 1895, Edvard Munch estuvo residiendo unos días en esta ciudad balneario y probablemente visitó el Grand Hôtel. Joseph Conrad terminó su novela Lord Jim en una de las habitaciones de este hotel en el verano de 1900. El Grand Hôtel tenía 170 habitaciones, gimnasio y restaurante en un edificio de siete plantas al borde del mar del Norte. Era uno de los pocos hoteles con larga tradición, que combinaba el ocio con el arte en el norte de Europa.

Chelsea Hotel New York, 1884

This hotel in Manhattan, built in the late 19th Century, is famous for the large number of artists and show business people who stayed there for different periods of time. Eleven storeys high, it was the highest building in New York until 1902. The following people stayed at the hotel: Simone de Beauvoir, Charles Bukowski, William S. Burroughs, Leonard Cohen, Bob Dylan, Allen Ginsberg, Frida Kahlo, Jack Kerouac, Stanley Kubrick, Arthur Miller, Édith Piaf, Keith Richards, Diego Rivera, Jean-Paul Sartre, Dylan Thomas, Mark Twain, and Tennessee Williams, among many others. The hotel still retains its mythical aura despite the fact that since 2011 no new reservations have been accepted. The new owners aim to renew business activity in the future once solutions have been found for the long term guests and a mixed residential system including several apartments has been introduced.

Este hotel de Manhattan, construido a finales del siglo XIX, es famoso por la gran cantidad de artistas y gente del espectáculo que han residido en él durante períodos más o menos cortos. Con sus once plantas, fue el edificio más alto de Nueva York hasta el año 1902. Por sus habitaciones pasaron: Simone de Beauvoir, Charles Bukowski, William S. Burroughs, Leonard Cohen, Bob Dylan, Allen Ginsberg, Frida Kahlo, Jack Kerouac, Stanley Kubrick, Arthur Miller, Édith Piaf, Keith Richards, Diego Rivera, Jean-Paul Sartre, Dylan Thomas, Mark Twain, o Tenessee Williams, entre otros muchos. El aura de hotel mítico continúa, aunque a partir de 2011, está cerrado a nuevas reservas. Sus nuevos propietarios pretenden reanudar la actividad en el futuro, tras resolver los problemas con los huéspedes de larga duración y la introducción de un sistema residencial mixto que incluya varios apartamentos.

Joseph Curran annex New York, 1966-1968. Albert C. Ledner

This building, now renamed the Dream Downtown Hotel, Manhattan, was built in 1966 for the National Maritime Union as an office annex. Located less than a kilometre away from the Chelsea Hotel, it re-opened in 2011 following major renovation work. Originally designed by a student of Frank Lloyd Wright's, Albert C. Ledner, with its maritime inspiration and its porthole windows, it is eleven storeys tall and is slightly inclined towards the interior of the block. A ship anchored in the Chelsea area, it has become a modern icon, a constant source of comments and references from passers-by.

Este edificio, conocido como el Dream Downtown Hotel de Manhattan, fue construido en 1966 para el sindicato de National Maritime como un anexo a sus oficinas. Situado a menos de un kilómetro del Chelsea Hotel, abrió sus puertas como hotel en 2011, tras una profunda remodelación. Diseñado originalmente por el estudiante de Frank Lloyd Wright, Albert C. Ledner, con inspiraciones marineras, por sus ojos de buey como ventanas, tiene once pisos y una pequeña inclinación hacia dentro de la manzana. Es un barco anclado en el barrio de Chelsea, convertido en un icono de la modernidad, que suscita comentarios y provoca referencias al que lo descubre.

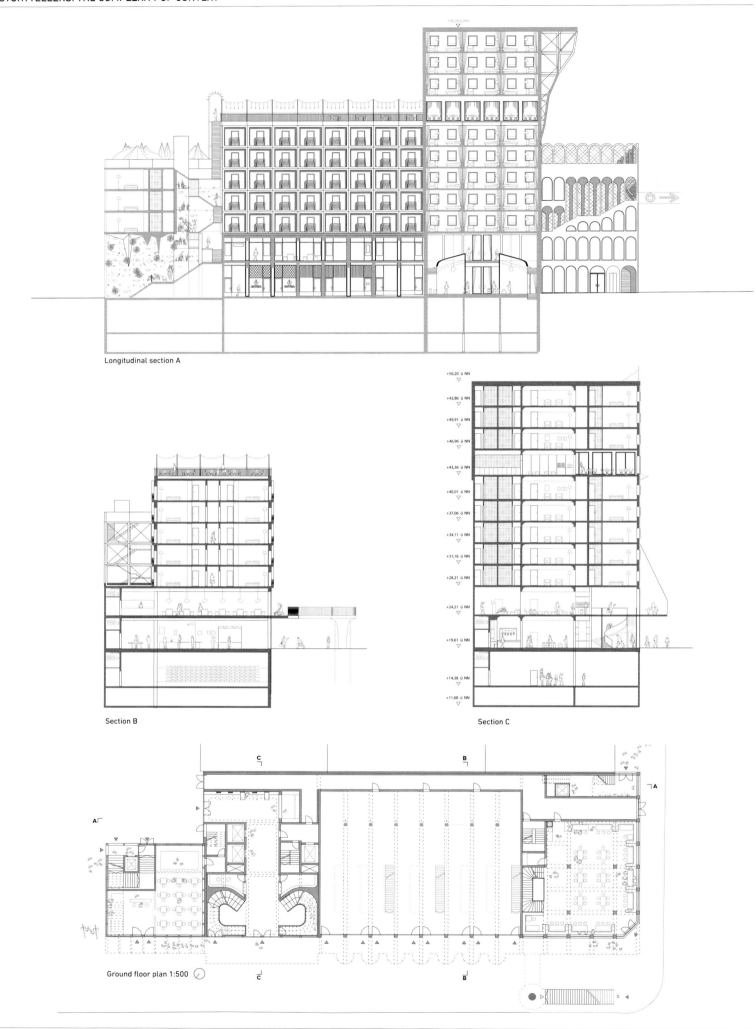

Longitudinal section A

Section B

Section C

+56,20 ü NN
+42,86 ü NN
+49,91 ü NN
+46,96 ü NN
+43,36 ü NN
+40,01 ü NN
+37,06 ü NN
+34,11 ü NN
+31,16 ü NN
+28,21 ü NN
+24,21 ü NN
+19,61 ü NN
+14,38 ü NN
+11,68 ü NN

Ground floor plan 1:500

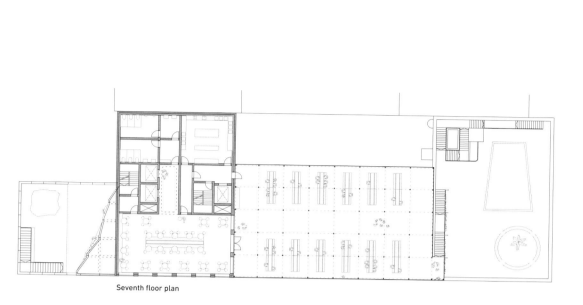

Seventh floor plan

Elevation to the new street

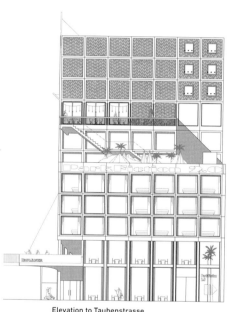

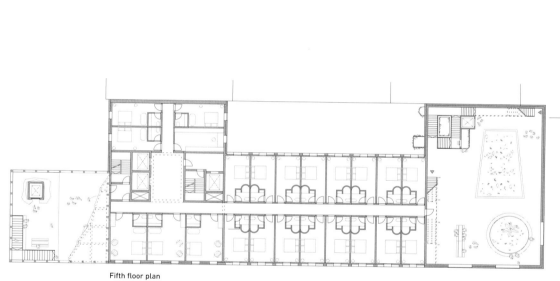

Fifth floor plan

Elevation to Taubenstrasse

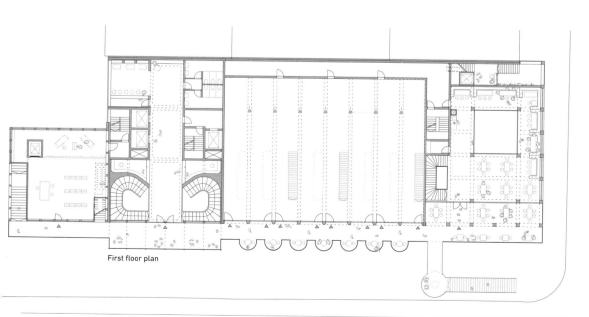

First floor plan

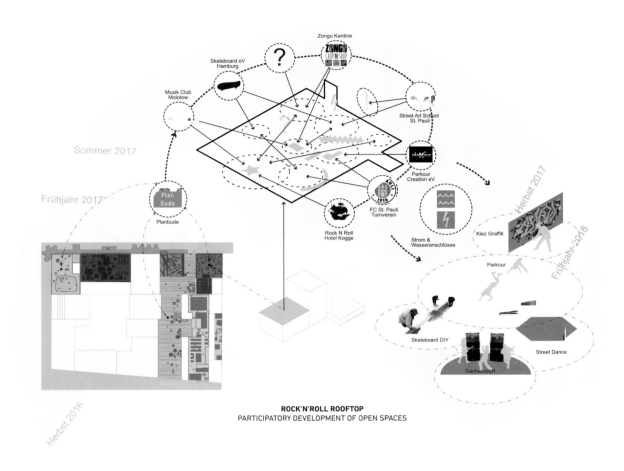

ROCK'N'ROLL ROOFTOP
PARTICIPATORY DEVELOPMENT OF OPEN SPACES

Spielbudenplatz Plot 2

feld72 architekten
St Pauli, Hamburg (Germany), 2016

Programme
Subculture

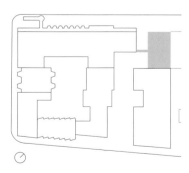

The design stays in line with the former commercial block of the Esso-houses, in particular with relation to the adjoining Panoptikum, Hamburg's wax museum, whose first floor is being extended to create barrier-free access. The diverse uses of the units on the ground floor are clearly visible. The Molotov Club returns to its traditional location where it finds itself in good company with the Rock'n'Roll Hotel and the Kogge Bar.This variety of scenes stimulates street life and Plot 2, with its prominent positioning at the head of the site, further emphasises the entrance to the alley.
The individual buildings are rough brick constructions, differing in materials and colours whilst the bricks' worn appearance and heterogeneity mirror the diverse "roughness" of its protagonists. The windows are modern interpretations of those traditionally used for commercial buildings of the 20th century.
To ensure the Molotov's commercial success in the future and to maximise the synergy with the Music-Cluster, the new design concept relocates the Music-Cluster to Section 5; the Kogge Bar provides a terrace area in one corner of the square, thus becoming a connecting point between neighbourhood, international visitors and the local music scene.
This location now offers space reminiscent of "the Gängeviertel", the intricate maze of backyards and alleys of the past, and is available for use by a variety of groups for their interests and scenes.
In this way the tolerated graffiti wall of the old Esso-houses and its protagonists return again to the neighbourhood.

El diseño se mantiene en línea con el antiguo bloque comercial de viviendas Esso, en particular en relación con el Panoptikum contiguo, museo de cera de Hamburgo, cuyo primer piso se está ampliando para crear un acceso sin barreras. Los diversos usos de las unidades de la planta baja son claramente visibles.
El Club Molotov vuelve a su lugar tradicional, en donde se encuentra en buena compañía con el Rock'n'Roll Hotel y el bar Kogge. Esta variedad de escenas estimula la vida callejera y la Parcela 2, con su posicionamiento destacado en la cabecera del lugar, y marca además el acceso al pasaje. Los edificios individuales son construcciones de ladrillo basto, que difieren en los materiales y colores, aunque el aspecto desgastado y la heterogeneidad de los ladrillos refleja la diversa 'rugosidad' de sus protagonistas. Los huecos son interpretaciones modernas de los tradicionalmente utilizados para edificios comerciales del siglo XX.
Para asegurar el éxito comercial del Club Molotov en el futuro y para maximizar la sinergia con los grupos de música, el nuevo concepto de diseño reubica los grupos de música en la Parcela 5; el bar Kogge ofrece una zona de terraza en una esquina de la plaza, convirtiéndose así en un punto de conexión entre el barrio, los visitantes internacionales y la escena musical local.
Esta ubicación ofrece ahora un espacio que recuerda la "Gängeviertel" el intrincado laberinto de patios y callejones del pasado y puede ser usado por una variedad de grupos para sus intereses y proyectos.
De esta manera la pared de graffiti autorizado de las antiguas casas Esso y sus protagonistas regresan de nuevo al barrio.

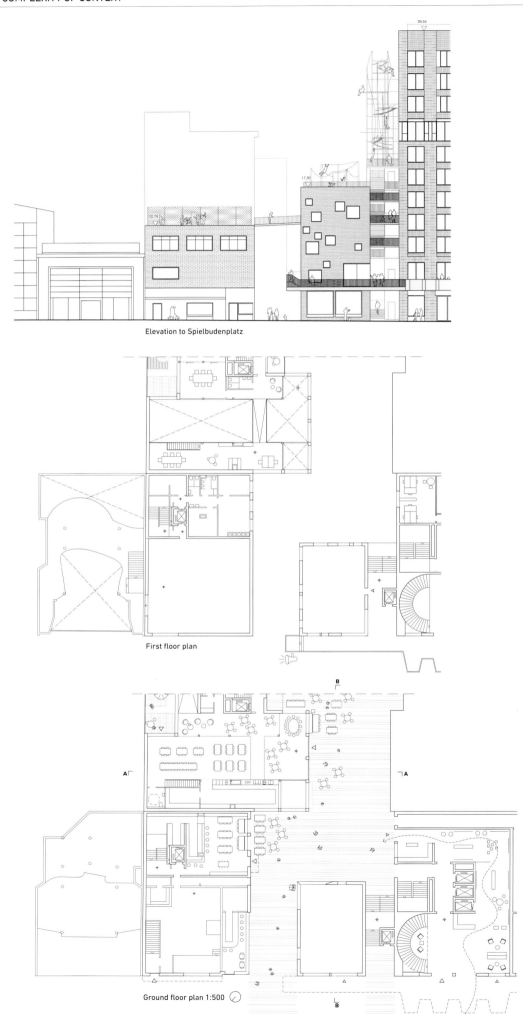

Elevation to Spielbudenplatz

First floor plan

Ground floor plan 1:500

Section A

Section B

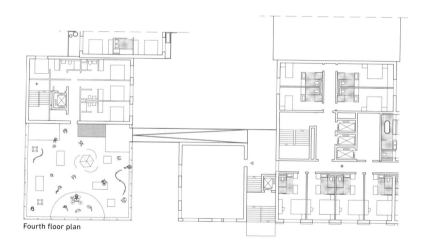

Fourth floor plan

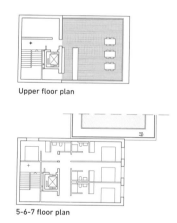

Upper floor plan

5-6-7 floor plan

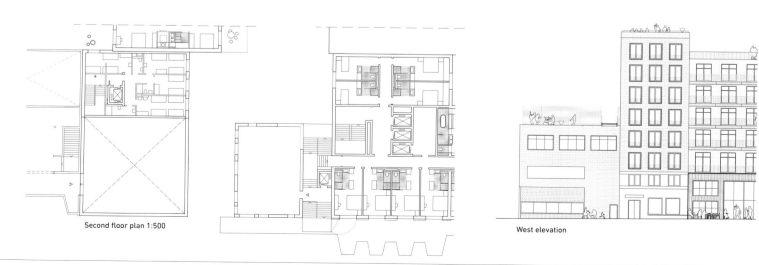

Second floor plan 1:500

West elevation

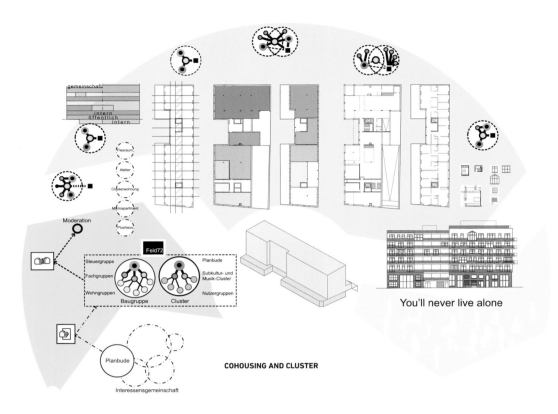

You'll never live alone

COHOUSING AND CLUSTER

Spielbudenplatz Plot 5

feld72 architekten
St Pauli, Hamburg (Germany), 2016

Programme
Cohousing
Workshops
Leisure

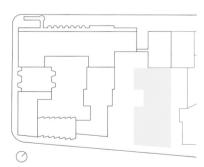

Plot 5 as a location is reminiscent of the old Esso-atmosphere. Most important is the spirit of active coexistence, where residents and locals know each other, and, through the ongoing artistic, creative and skilled work, form a community; thus enabling the realisation of the St. Pauli Code. As a whole Plot 5 divides spatially and functionally into three interwoven areas: the underground music zone, the publicly accessible spaces on the ground and first floors and the cohousing above. Based on a raster principle, the floors are fluent in their uses. Intelligent architecture allows for a maximum variety of spatial configurations, ensuring the participation of future users in the continuous/organic adaptations of floor space. The connection of the two central staircases via the gallery allows for a generous level of flexibility that provides the local protagonists with vast opportunities to partition and independently convert the available space. The additional internal extensions via the canteen, the FabLab and the garden create further opportunities to adjust the space to the diverse needs and allow for further adaptations. A particular feature of the design is the creative way in which a supposedly negative and non-negotiable planning

item was dealt with: the entrance to the underground parking was realised with a terrace above, thus adding further communal value. The non-design of ground and first floor further allows a sense of appropriation by the district's protagonists that is characteristic of St. Pauli whilst the corners of the alley feature as active anchor points. The facade is a rhythmic sequence of entrances, shop windows and large glass fronts, accentuated by the prominent entrance to the building. Depending on use, different elements of the facade stand out. Behind this front, one is able to customise and adapt the layout whilst openings in the facade allow the onlooker to see the diverse utilisations.
One of the core connecting elements of the relationship between the living quarters and the commercial premises is the communal garden which is available to both, visitors and residents. This multi-functional open space connects the two staircases of the buildings via the district's canteen.
The spatial structure of Plot 5 offers maximum variety of communal life.

La Parcela 5, como lugar, es una reminiscencia de la antigua atmósfera Esso. Lo más importante es el espíritu de convivencia activa, donde los residentes locales se conocen entre sí y, a través del trabajo artístico, creativo y experto, forman una comunidad permitiendo así la realización del Código de St. Pauli.
En conjunto, la Parcela 5 se divide espacial y funcionalmente en tres zonas entrelazadas: la zona de música *underground*, los espacios de acceso público en las planta baja y primera y las viviendas compartidas arriba. Basándose un principio de rasterización, los usos de las plantas son fluidos. Una arquitectura adaptable permite una variedad máxima de configuraciones espaciales, asegurando la participación de los futuros usuarios en las continuas adaptaciones orgánicas de la superficie.
La conexión de las dos escaleras centrales a través de la galería permite un nivel de flexibilidad generosa, que ofrece a los protagonistas locales grandes oportunidades para segmentar y cambiar el espacio disponible. Las ampliaciones internas adicionales a través de la cantina, el Fablab y el jardín crean más oportunidades para ajustar el espacio a las diversas necesidades y permitir nuevos ajustes.
Una característica particular

del diseño es la forma creativa en que un elemento de planificación, supuestamente negativo y no negociable, como es la entrada al aparcamiento subterráneo, se realiza con una terraza superior, lo que añade valor a la comunidad.
El no-diseño de la planta baja y de la primera planta añaden, además, un sentido de apropiación por parte de los protagonistas del distrito, que es característico de St. Pauli, mientras que esquinas del pasaje son puntos clave de actividad. La fachada es una secuencia rítmica de entradas, escaparates y grandes frentes de vidrio, acentuada por la entrada principal al edificio. Dependiendo del uso, se destacan diferentes elementos de la fachada. Detrás de este frente, se puede adaptar y personalizar el diseño, mientras que los huecos de la fachada permiten que el espectador vea las distintas utilizaciones.
Uno de los elementos centrales de conexión de la relación entre las viviendas y los locales comerciales es el jardín comunitario, que es para uso, tanto de visitantes como de residentes. Este espacio multifuncional abierto conecta las dos escaleras de los edificios a través de la cantina del distrito.
La estructura espacial de la Parcela 5 ofrece la máxima variedad de vida en común.

South elevation 1:500

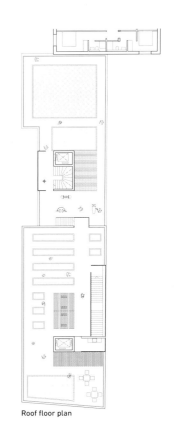

Sixth floor plan

Roof floor plan

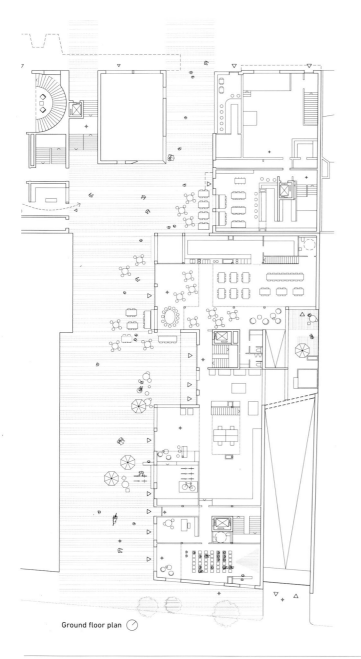

Ground floor plan

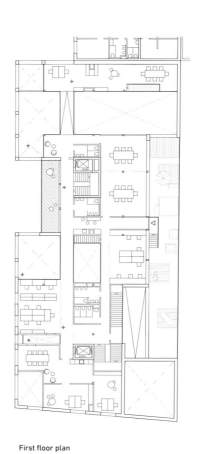

First floor plan

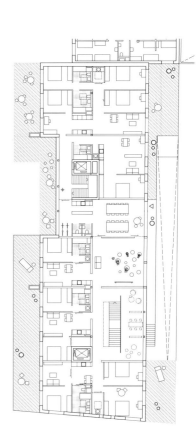

Second floor plan

East elevation

CREDITS

BRUTHER
SPORT AND CULTURAL CENTRE
p 18
Partners: Altia, Batiserf, Bureau
Michel Forgue, Louis Choulet
Photography: Filip Dujardin

**DE SMET VERMEULEN
ARCHITECTEN**
LINKER OEVER
INTERGENERATIONAL PROJECT
(IGLO)
p 90
Master plan (2006): Technum,
De Smet Vermeulen architecten,
architecten de vylder vinck
taillieu, Tom Thys architecten
Commission by: Antwerpen
Lerende Stad, Antwerpen
Zorgbedrijf, THV IGLO
Architecture: De Smet
Vermeulen Architecten,
Engineering: Tractebel
Engineering
Photography: Filip Dujardin

feld72 architekten
SPIELBUDENPLATZ PLOTS 2
AND 5
p 118
In collaboration with: Plansinn
and Prof. Dr. Jens S. Dangschat.

FLORES & PRATS ARCHS
SALA BECKETT /
INTERNATIONAL DRAMA
CENTRE.
p 53
Project and construction: Flores
& Prats Archs / Ricardo Flores
and Eva Prats.
Client: Institut de Cultura de
Barcelona + Fundació Sala
Beckett.
Theatre Engineer:
Ing. Marc Comas.
Acoustic adviser: Arau Acústica.
Structural adviser:
Arq. Manuel Arguijo.
Installations: AJ Ingeniería.
Collaborators: Eirene
Presmanes, Jorge Casajús, Micol
Bergamo, Michelle Capatori,
Emanuele Lisci, Cecilia Obiol,
Francesca Tassi-Carboni, Nicola
Dale, Adrianna Mas, Giovanna
de Caneva, Michael Stroh,
Maria Elorriaga, Pau Sarquella,
Rosella Notari, Laura Bendixen,
Francesca Baldessari, Marta
Smektala, Ioanna Torcanu,
Carlotta Bonura, Florencia
Sciutto, Georgina Surià, Elisabet
Fàbrega, Julián González,
Valentina Tridello, Agustina
Álvaro Grand, Monika Palosz,
Shreya Dudhat, Jordi Papaseit,
Judith Casas, Tomás Kenny,
Filippo Abrami, Constance
Lieurade, Iben Jorgensen, Lucía
Gutiérrez, Gimena Álvarez,
Agustina Bersier, Mariela Allievi,
Toni Cladera, Clàudia Calvet.
Photography: Adrià Goula.

JAJA ARCHITECTS
PARK AND PLAY
p 44
Client: By & Havn
Photography: Rasmus Hjortshøj
– COAST.

**LEONG LEONG
KILLEFER FLAMMANG
PAMELA BURTON**
ANITA MAY ROSENSTEIN
CAMPUS - THE LOS ANGELES
LGBT CENTER
p 96
Client: Los Angeles LGBT
Center and Thomas Safran &
Associates.
Team: Christopher Leong,
Dominic Leong, Gabriel Burkett,
Nile Greenberg,
Yu-Hsiang Lin, Dale Strong,
Shanna Yates.
Competition Team: Christopher
Leong, Dominic Leong, Gabriel
Burkett, Nile Greenberg,
Yu-Hsiang Lin, Nyssa Sherazee.
Collaborators: Killefer
Flammang Architects, Pamela
Burton Associates.